JN092602

美しくありたい

梅澤美波

日経BP

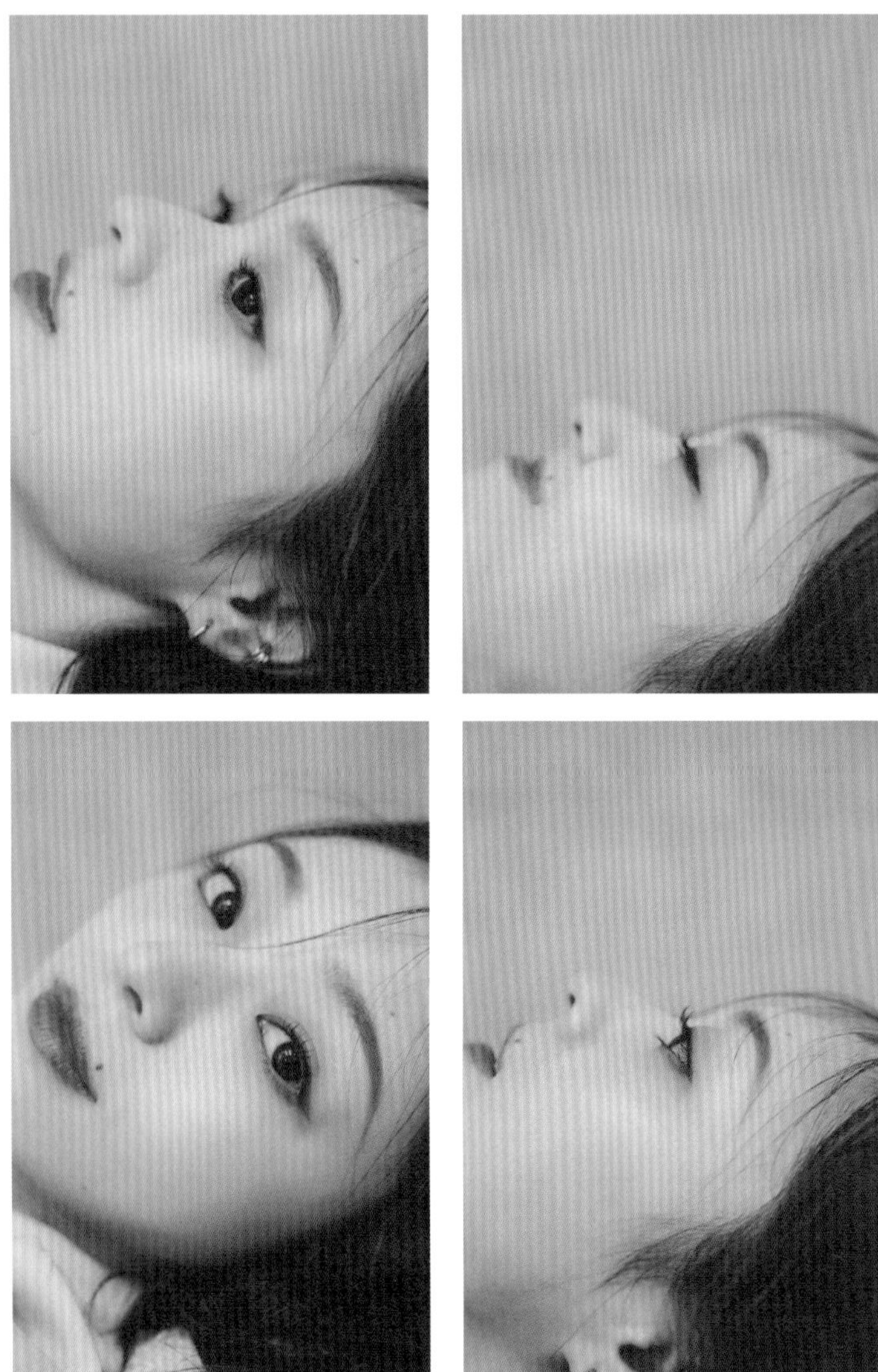

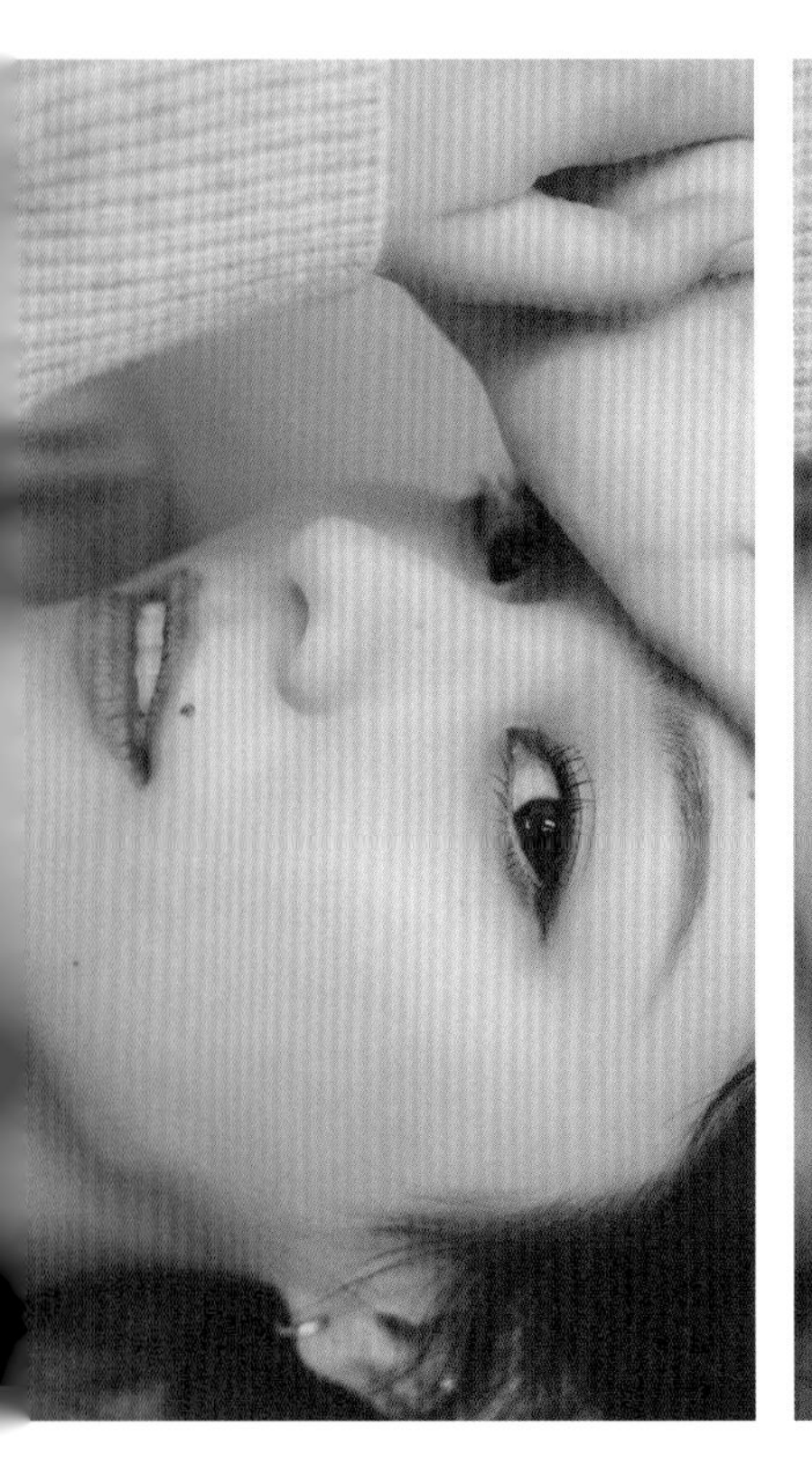
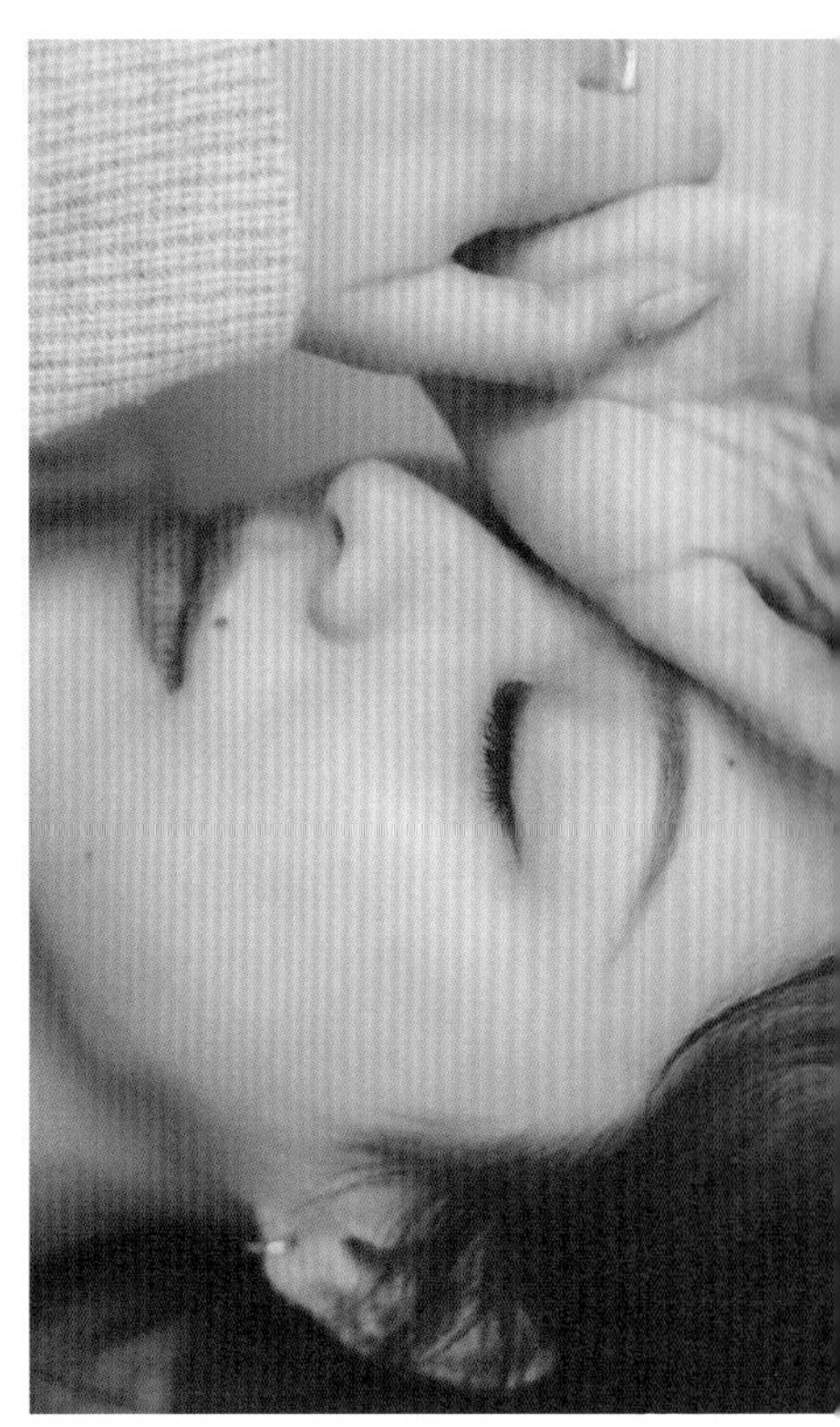

Contents

「乃木坂46 3期生 梅澤美波の清楚系熱血派」より

2018年

2019年

2020年

2021年

2022年

2023年

はじめに

乃木坂46に加入するまでは、自分からコミュニケーションを取ることは少なくて、どちらかといえば数人の仲のいい友人と一緒にいるタイプでした。

それが乃木坂46に入って、出会う人が増えていくことで徐々に変わっていきました。自分が出す空気感がその場全体に影響を及ぼすこともあるし、全体を察して動くことがグループにプラスになることが分かって、〝空気感〟を大切にするようになったんです。

落ち込んでいるメンバーに前向きになれるような言葉を掛けているうちに、自分自身の気持ちもポジティブに変えることができるようになりました。

もちろんその時々によって悩みはありますが、乃木坂46に加入できてとても幸せですし、この人生でよかったなと思います。卒業される先輩方が「乃木坂46の活動はつらいことも多かったけど、思い返すと楽しい記憶ばかりがよみがえってきます」とコメントされますが、既にその気持ちが分かります。

この書籍には、私が乃木坂46で活動してきた約5年間の変化が収められています。

私のことを応援し続けてくださっている方は、過去を思い出しながら読んでいただきたいですし、最近ファンになってくださった方には、過去に起きた出来事や当時の気持ちを知ってもらえたらと思います。

今の私は〝強い〟イメージを持っていただけることが多いですが、連載を開始した当初はナヨナヨしていたので、この書籍を通して成長を感じてもらえたらうれしいです。

ファッション誌で見た白石麻衣さん（20年卒業）に影響を受けて、乃木坂46のオーディションを受けた自分のように、私の言葉が響いて乃木坂46を好きになってくれる方がいたらなによりです。「3期生お見立て会」（16年12月）で話した「影響を与えられる人になりたい」という目標に近づくことができていたらいいな、と思います。

オンラインミート&グリートで「アイドルを目指しています」というファンの方も、ファン同士で結婚された方もいて、少なからず影響を与えられる人に近づけていることは確かなので、これからも乃木坂46であることに誇りと責任感を持って活動を続けたいです。

もしかしたら、以前は私や乃木坂46のファンだったけど今は離れている、という方が読んでくださっているかもしれませんね。そんな方には、3期生、4期生、5期生で構成する今の乃木坂46を知ってほしいです。

私は、現在の乃木坂46とメンバーに自信を持っています。先輩方の偉大さに恐縮して、自信がないように見えてしまうこともあるかもしれませんが、彼女たちは外見も心もキレイで、才能があって、ものすごく努力しているんです。

頑張ってエースと呼ばれるようになったメンバーも、個人活動で乃木坂46の名前を広げてくれるメンバーもいる。将来の乃木坂46をより良く変えてくれそうなメンバーも成長中なので、これからも乃木坂46はいい形で続いていくはずです。

キャプテンとしてのメンバーへの寄り添い方はそれぞれですが、みんなの行動をつぶさに見ながら、乃木坂46をより良い方向に導くことができたらと思っています。

コロナ禍に入る前、乃木坂46は中国などアジアでライブを開催していたのですが、改めて海外公演に挑みたい気持ちもあります。オンラインミート&グリートに海外のファンの方もいらっしゃるので、直接感謝を伝えたいです。もちろん、国内でしっかり地盤を固めてからですが。

「11th YEAR BIRTHDAY LIVE」(23年2月)のVTRで「新たなアイドル戦国時代に突入したような気持ち」とお伝えしました。新しいアイドルグループが次々と生まれるなど環境は変化していきますが、これからも乃木坂46らしく、エンタテインメントシーンを盛り上げていきたいです。

お手に取っていただき、
ありがとうございます。
約5年間の私の言葉たちを
こうして残すことができ、
とても嬉しく思います。
乃木坂46の梅澤美波、というよりは
一人の人間として大きく
変われたと思います。
ぜひ、受け取って、感じて頂けたら。

乃木坂46
梅澤美波

2023年を振り返る

『日経エンタテインメント！』さんでの連載が最終回となったのが23年8月号、「真夏の全国ツアー2023」のリハーサル期間中でした。それからの出来事を振り返りたいと思います。

33rdシングル『おひとりさま天国』

33rdシングル表題曲『おひとりさま天国』（23年8月）のセンターには井上和（なぎ）が立ちました。和は〝できる子〟だから大切な役割を任されましたが、ケアはしたいと思いました。

最初に『おひとりさま天国』の音源を聴いたときに「この曲なら乃木坂46の夏は絶対に盛り上がるし、夏の定番曲になるかもしれない」と手応えを感じたんです。TikTokにも相性が良さそうなキャッチーなメロディーで、今の時代に沿っていると思いました。そう感じたのは私だけではなくて、メンバーからは「初めて聴いたときの衝撃がすごかった」という声が多かったです。

『おひとりさま天国』というタイトルもインパクトがありますが、歌詞を読んで「コロナ禍が落ち着いてのソロ活ブームにピッタリ」と、楽しみながら歌おうと決めました。乃木坂46でも1人の時間を大切にしているメンバーは多くて、それぞれの「おひとりさま」はミュージックビデオに反映されています。

伊藤衆人監督は期別曲などを何度も撮っていただいている方なので、すでにメンバーとの信頼関係ができていて、撮影はいい雰囲気で進みました。衆人監督だからこその小ネタも多く、私の部屋には『空扉』（21stシングルカップリング、18年8月）のミュージックビデオを連想させるような宇宙飛行士のフィギュアが置かれていました。監督の遊び心と気遣いにテンションが高まったメンバーは多いと思います。

センターの和とミュージックビデオの世界観も合っていました。アニメを見たり絵を描くことが好きな彼女だけど、まだ真っ白な状態で吸収力もあるから、みんなが趣味を勧めたくなってしまうだろうなって。

和の明るい声がこの曲のカギ

「It's the single life!」というセリフがこの曲のカギになりますが、和は見事に応えてくれました。「何パターンか収録した」と聞きましたが、いつもの落ち着いたトーンとは違った明るい声で、聴いた人の耳に確実に残るだろうし、メンバーの気持ちもグッと上がるんです。『ごめんねFingers crossed』（27thシングル、21年6月）などを手掛けたLICOさんの振り付けも楽しんで踊ることができる理由の1つです。

このシングルの選抜に、同期の（伊藤）理々杏と（中村）麗乃が入ったことは心強かったです。歌とダンスの実力が高い2人ですが、弾ける夏曲にもよく合います。

初選抜の5期生・池田瑛紗は、東京藝術大学に通っていて、美術の才能があって、頭も良くて、ブログの更新頻度が高い。自己プロデュースに長けているなと感心しています。大きな目でじっと見つめてくるので、私もドキドキしてしまうぐらいです（笑）。

『おひとりさま天国』は新しいタイプの楽曲ですが、カップリングは、『誰かの肩』『マグカップとシンク』『考えないようにする』『命の冒涜』と、これまでの「乃木坂46らしさ」を感じさせる曲が多い印象があります。

そんななかで、私と田村真佑、中村麗乃、弓木奈於によるユニット曲『お別れタコス』は不思議な世界観がある曲。『パッションフルーツの食べ方』（30thシングルカップリング、22年8月）『銭湯ラプソディー』（31stシングルカップリング、22年12月）と、私はなぜか一風変わったユニット曲をいただくことが多いんです。この曲は歌っていて心地がいいし、メンバーも曲に合っていると思います。

ユニット曲をいただけることは、いつだってうれしいです。特別感があって、ソロパートで歌声を聴いてもらうこともできますから。歌のイメージは薄いかもしれませんが、私もソロで歌いたい気持ちがあるんです。キャプテンの私も、メンバーの1人でもあるんだと感じられる瞬間でもあります。

真夏の全国ツアー２０２３

乃木坂46は7月1日から8月28日まで、「真夏の全国ツアー２０２３」を開催しました。先輩方が卒業されて、３期生、４期生、５期生の体制で、私が初めてキャプテンとして臨んだツアーで、最後の東京公演は明治神宮野球場４ｄａｙｓに初挑戦したのですが、もう１つの「初めて」が沖縄公演（7月22日、23日）でした。

沖縄公演開催にあたって、沖縄出身の理々杏の存在は大きかったです。福岡での開催が難しいとなったとき、理々杏がいたから「沖縄でライブをしよう」と決断できたはず。理々杏がセンターを務める『僕の衝動』（19thシングルカップリング、17年10月）はものすごく盛り上がりました。

初めての沖縄ライブなので私たちも気合を入れてステージに立ちましたが、「楽しもう！」というファンの方たちからの熱気がすごかったです。開演前やアンコール前に聞こえてきた指笛も沖縄公演だからこそ。客席のボルテージはどんどん上がって、『おひとりさま天国』の初披露で爆発しました。

座長として全国ツアーに慣れてきたところでのセンター曲の初披露だったから、和はプレッシャーもあったと思います。歌番組での初披露と違って、ライブでは直に反応が返ってくるので。

みんなで支え合いながらの初披露

和は泣いていましたが、私はうれしくもあったんです。不安や緊張をメンバーの前で見せてくれるんだなって。高校を卒業したばかりのアイドル2年生が大役を任されているので、重圧に押し潰されそうになって当たり前。弱さを出してくれたからこそ、みんなが和に駆け寄ることができて、支え合いながらパフォーマンスができました。

地方公演では夏曲をメドレーで披露したのですが、メンバーが代わる代わる登場して、1人ひとりの顔と名前が分かるような演出でした。統一された衣装ではなく、曲ごとに異なるカラフルな衣装を着用するのも初めての試みで、不安もあったのですが、ファンのみなさんは盛り上がってくださいました。前半からブーストがかかって、チャレンジしてよかったです。

ユニットコーナーは福神メンバーがセンターを務めたのですが、私は『パッションフルーツの食べ方』をセンターで歌いました。私はオリジナルメンバーなのですが、「32ndSGアンダーライブ」(23年4月)でこの曲をアレンジして歌声を響かせるメンバーを見て、「こんなに化ける曲なんだ」と驚いていました。ツアーでは、『パッションフルーツの食べ方』と遠藤さくらがセンターの『意外BREAK』(17thシングルカップリング、17年3月)を、ヒールダンスで大人っぽく踊りました。私のイメージに合った演出だと思いますが、だからこそ難しさを感じたんです。新しい一面を見せれば確実に反響はあるだろうけど、イメージ通りの演出では研ぎ澄まされたパフォーマンスでないと納得してもらえない。そんなプレッシャーがありました。

『パッションフルーツの食べ方』で私がこだわったのは衣装でした。フィッティングで用意してもらった衣装を地方と東京公演で変えて、ベルトや小物など細かいところも自分から具体的にお願いしたんです。

後輩たちの成長をユニット曲で実感

金川紗耶（さや）や清宮レイ（せいみや）はカッコよかったです。4期生もお姉さんになったなと実感しました。菅原咲月（さつき）が「梅澤さんをお手本にしている」と言ってくれたことはうれしかったです。咲月は「真夏の全国ツアー2022」のユニットコーナーでも、私がセンターを務めた『かき氷の片想い』（2ndアルバム収録、16年5月）で一緒に踊ってくれたんです。あの時もセクシー系の演出でしたが、今回はさらにパワーアップしていました。咲月はどんどん魅力が増していくんだろうなと思います。

東京公演では、『設定温度』（3rdアルバム収録、17年5月）を歌いました。3期生が最初に神宮に立った17年の夏を思い出して鳥肌が立ったんです。振り返ると、6年間は一瞬でした。4期生、5期生を迎え入れながら「私たちは間違っていなかったんだ」と感じて、同期を見ながら「ここまで頑張ってきたな」と感慨深い気持ちになったんです。

今回のツアーのセットリストは、先輩方が中心だった過去の曲にとらわれずに、3期生が加入してからの曲を軸に作られていました。「みなさんが求める〝乃木坂46らしさ〟は初期の楽曲なのかもしれない」という不安もありましたが、思い切ってやってみると、新しいライブをお届けできたのでは、という手応えがありました。責任感を持ちながら前のめりでライブに参加できたんです。

アコースティックバージョンの『シンクロニシティ』(20thシングル、18年4月)に続けて、東京公演では『誰かの肩』を歌いました。『シンクロニシティ』は、ダンスに注目が集まりがちですが、あえて踊らずに歌を届けるという選択もいいなと思いました。

『誰かの肩』は、歌詞がグループのメンバーの関係性を表しているようで、自分たちに向けて歌っている意識が強かったです。動くタイミングや寄り添い方、誰と触れ合うか、すべてフリーで、それぞれ気持ちが赴くままにパフォーマンスしました。だからこそ、ファンのみなさんに伝わるものがあったのではと思います。メンバー側を向いて歌った和の表情も素敵でした。

各公演で、私と山下美月、与田祐希の「箸休めトリオ」で担当したMCも見どころになっていたらうれしいです。台本がないだけでなく、あえて打ち合わせもしませんでしたが、私が話題を振ると2人が縦横無尽に広げてくれるので、面白いMCになったと思います。8年間一緒に活動してきた3人だからできた自由なトークでした。

終盤は、期別曲を全員で歌うという新しい試みでした。5期生曲の『バンドエイド剥がすような別れ方』(30thシングルカップリング)、4期生曲の『I see…』(25thシングルカップリング、20年3

月）は、ミュージックビデオの再生回数も多く、絶対に盛り上がる曲。テンションが最高潮になったところで、エモーショナルな3期生曲『僕が手を叩く方へ』（30thシングルカップリング）で会場を1つにするという、いい流れだったと思います。

22年のツアーで感動的なシーンを生んだ『僕が手を叩く方へ』は、今回のツアーでさらに強い曲になりました。神宮でみなさんがクラップしてくれる光景は壮観で、心に染みてくるんです。アイドルはキラキラしているように見えますが、普段は平凡な生活を送っていて、ファンのみなさんの存在を感じたときに、「自分はアイドルなんだ」と自覚できるんです。まさにその瞬間になりました。

東京公演は『おひとりさま天国』で締めました。和は自分の思いを言葉にしてから、テンションを高めてこの曲をパフォーマンスするので大変だったと思います。でも、気持ちが入り込んでしまう和だからこそ、初めてのセンターが明るい曲でよかったなって。

シリアスな曲だと気持ちも引きずられてしまったかもしれない。東京公演では前向きな言葉を発していたので、2カ月間の全国ツアーで和は大きく成長できたと思います。

「私たちが乃木坂46です！」

東京公演千秋楽のアンコールで、最後に「私たちが乃木坂46です！」と言葉にさせていただきました。「神宮でどんな言葉を残せばいいんだろう」と机に向かって文章を考えても、ピタッとハマる言葉が見つからなくて。ある公演で、何も用意せずにステージに出て、その場で感じたことを言葉にしたらしっくりきたんです。それからは気持ちが乗ったそのままの言葉で話せるようになりました。

東京公演の4日間、メンバーたちのMCで、どうしても「先輩たちのおかげで」という言葉が最初に出てくるのを耳にして、正直、「もっと今の自分に自信を持っていいのに」と歯がゆい思いもありました。もちろん先輩方のおかげでステージに立てていることは事実ですし、感謝の気持ちも大きいですが、なにより今の私たちが輝いていることを伝えたくて、「私たちが乃木坂46です!」という言葉が出ました。

「私たちが乃木坂46です!」を自己分析すると、いろいろな意味合いがあったと思います。1つは、5月の「齋藤飛鳥卒業コンサート」で飛鳥さんから託された「乃木坂をよろしくね」というメッセージへの返答。秋元真夏さん(23年卒業)がツアーの千秋楽を見に来てくださっていたこともあって、今の乃木坂46も頑張っていることを証明したかった気持ちもありました。終演後、真夏さんは「感動したよ」と言ってくださいました。

8年間、一緒に活動してきてグループを引っ張る役割になった3期生の思いを伝えたい、という気持ちもありました。乃木坂46の形が出来上がったところで加入して、グループのメンバーとして認めてもらうために、それぞれが頑張って結果を出して、「私たちが乃木坂46です!」と言い切れるところまでたどり着いた。同期のみんなには幸せになってほしいです。

この発言の反応に怖さもありましたが、たくさんの温かい言葉をいただいて安心しました。ここまでやってきたことが認められたようで、うれしかったです。

センター期間を走り抜けた和の豊かな人間性は、『乃木坂工事中』（テレ東）のヒット祈願に表れていました。スタジオで「メンバーはご家族からお預かりしている」と話したんです。この言葉は、改めて「大人っぽく見えるメンバーにも、大切に育てられてきた家庭があるんだ」と感じて、もっと大切にしたいと思った気持ちからです。

アイドルは活動していくなかで、重圧を乗り越えて強くなっていきますが、その過程にいる後輩たちにはもっとアイドルを楽しんでほしいんです。そのために、家族より近くにいる私たちが支えていきたいなって。これからも後輩には1人の人間として向き合っていきます。

33rd SGアンダーライブ

9月29日から10月1日にわたって開催された「33rd SGアンダーライブ」を客席から見て、気持ちをぶつけ合うようなパフォーマンスに、アンダーライブの神髄を感じました。特定のメンバーがMCやあおりを担当するのではなく、細かく割り振られているので、みんなが積極的にライブに参加して、会場に一体感が生まれているんです。

13人で横浜アリーナを3日間、立ち見を含めて満員にできて、その期待感に見事に応えるメンバーを誇らしく思いました。33rdシングルのアンダー曲『踏んでしまった』からは彼女たちの感情が伝わってきて、『日常』（22ndシングルカップリング、18年11月）のようなアンダーの代表曲になる可能性があると感じました。

松尾がみんなを明るい場所に導いてくれた

センターの松尾美佑（みゆ）がアンダーライブを引っ張ってくれました。みんなが抱えている様々な気持ちのなかには悔しさやもどかしさもあると思うけど、松尾はそんな感情の本質を伝えながら、明るくスピーチしてくれたんです。カッコよさに涙が出てきました。

松尾はもともと視野が広かった印象があります。冷静にまわりを見ながら、「今はこうすべき」と判断してきたと思います。これまで自分から意見を発する機会は少なかったけど、今回のアンダーライブは松尾らしい言葉で、みんなを明るい場所に導いてくれました。

会場に着いたタイミングで松尾と対面したんですけど、逃げられてしまって。後から「あの場で話したら泣いてしまいそうだったので」と連絡をくれたんです。そんな不安を乗り越えたパフォーマンスを含め、立派な座長だったと思います。

これからの目標

2024年以降の目標としては、また日産スタジアムでライブを開催したいです。もちろん、どの会場でも緊張感を持って取り組んでいるのですが、22年5月の日産スタジアムのステージ（「10th YEAR BIRTHDAY LIVE」）から会場を見渡したときの鳥肌が立つほどの感動が忘れられないんです。

あれから1年半ほど経過して、乃木坂46は1期生さんと2期生さんが全員卒業されましたが、日産スタジアムで初めて乃木坂46全体のライブに参加した5期生は大きく成長して、3期生と4期生もグループを引っ張る自覚が強くなりました。今の乃木坂46だからできるライブをお届けできるはずだと思います。

1年半前は声出しが解禁されていなかったので、7万人の歓声を浴びたいです。その目標を果たすために、日々努力を積み重ねていきたいと思います。

キャプテンシーについて

『日経エンタテインメント!』さんの連載の第1回目は2018年の5月号。3期生のなかで、自然と「まとめ役」と呼ばれるようになった気持ちをつづっています。

それから21年11月に乃木坂46初の「副キャプテン」に、23年2月には秋元真夏さんからバトンを受け継ぎ、乃木坂46の「3代目キャプテン」に就任させていただきました。

乃木坂46加入前から、私が「キャプテンシー」について思ったり、考えてきたことをお伝えします。

乃木坂46加入前

乃木坂46に加入する前、中学生のときに入っていたバレーボール部では部長をやっていたわけでもなく、クラスで学級委員長を務めたこともありませんでした。強いて言えば、文化祭実行委員の1人だったことがあるくらい。部員やクラスメートを引っ張る存在だったことはなくて、キャプテンシーとは無縁でした。

ただ、バレー部では気づいたことがあれば、自分から後輩に直接伝えるようにしていました。先輩後輩の関係をしっかりさせたいタイプだったんです。周囲に迷惑をかけなければ、個々は自由にしていいと思います。だけど、例えば練習試合で他校に行ったとき、誰か1人の行動だけで部全体の評判を落とすことに耐えられなくて。

小さい頃に習っていた空手道場で礼儀作法を教わって、中学校の部活に入る前からバレーボールのクラブチームに入っていたので、組織における行動を自然に叩き込まれていたんだと思います。今もそれに近い気持ちはあります。ほとんどのメンバーはちゃんとしていたとしても、数人が違和感のある行動をしていたら、そちらに目が行ってしまうもの。キャプテンとして、乃木坂46がみなさんの目にどう映っているかには常に目を配っています。

3期生として乃木坂46のメンバーに

今は変わってきていますが、私が乃木坂46に憧れていた頃は「乃木坂46は文化系」というイメージがありました。でも、実際に加入して感じたのは、「見た目は文化系だけど、中身は体育会系」。日頃はおっとりしていますが、いざというときは燃えるんです。そのギャップが乃木坂46の良さなんだ、と思いました。

16年9月に3期生として加入して、早い段階で同期のなかで「お母さん」的存在になっていました。中学生が5人いたこともあり、楽屋にゴミが置きっぱなしだったり、椅子が引きっぱなしだったり、レッスン場で寝転がったり、無作法がどうしても気になりました。

3期生だけの空間なら許されるかもしれないけど、1歩外の世界に出たら痛い目に遭うのはなによりも本人なので。メンバーに楽屋の写真を送って「片づけていないのは誰?」と注意したこともあります。

「誰かがやるべきこと」という確信はありましたが、同期に注意することには葛藤もありました。言わないほうが楽だし、言いたいわけでもない。でも、あのときの私は「このままでは3期生が先輩たちに受け入れてもらえない」という危機感があったんです。自分は与田や(大園)桃子(21年卒業)みたいな「天性のアイドル」ではないことは分かっていたので、そういう役割に回ったというのもあります。もちろん指摘するからには、自分も当然できていないとダメだと気を引き締めていました。

「自分が動かないといけない」と思ったきっかけが『FNS歌謡祭』(16年12月)でした。加入から3カ月で出演させていただいたのですが、私たちの礼儀や挨拶が至らず、生駒(里奈)さん(18年卒業)から注意を受けました。私たちはしっかり挨拶をしていたつもりでしたが、「つもり」なだけだったんだと痛感しました。

それからは、3期生単独のライブや舞台では、まとめ役を買って出ました。ライブでは、出番前にみんなを集めて円陣を組んで、気づいたことがあれば「こうしてほしい」と伝えるようになったんです。

今だから明かせますが、舞台『見殺し姫』の期間（17年10月）は加入から1年たって、与田と桃子がいきなり『逃げ水』（18thシングル、17年8月）でセンターに立ち、3期生みんなが戸惑っていたんです。

そんな状態でメンバーも集中してまとまることが難しくて、自分が行動で示すしかないと思いました。私がやるべきことをやっていれば、同期はみんな「今はこうするタイミングなんだ」と分かってくれるはず。そう信じていたんです。大変でしたが、この時期に、まとめ役としての押し引きを覚えることができたのかもしれません。

舞台『ザンビ』（18年11月）は、欅坂46とけやき坂46（いずれも当時）の先輩方と共演で、舞台経験がある乃木坂46メンバーが主演という複雑なシチュエーションでした。グループの名前に甘えたくない、とプライベートでも久保（史緒里）と何回も集まって演技プランをいくつも考えて、演出の方に提出したんです。

坂道シリーズ合同の舞台でしたが、乃木坂46の看板を背負っている感覚が強かったことを覚えています。久保とは最初の3期生ライブからよく話していましたが、『ザンビ』をきっかけに、熱を持って意見を交わせる関係になりました。

後輩の4期生が18年12月に加入しました。「3・4期生ライブ」（19年11月）は、私と山下（美月）が『映像研には手を出すな！』（20年放送・上映）の撮影があって、リハーサルにあまり参加できなかったんです。3期生から4期生に必要なことは伝えたつもりではありましたが、あの頃の私たちはまだ頼りなくて、「ついていきたい」と思わせる先輩ではありませんでした。

初代・桜井キャプテンの行動力

私がファンの頃に見てきた乃木坂46のキャプテンは桜井玲香さん（19年卒業）で、私が加入したときのキャプテンも桜井さんでした。先輩方が愛のあるイジりとして、「玲香はキャプテンらしいことをしない」と笑いにすることがありました。

でも裏側では、桜井さんがスタッフさんたちとコミュニケーションを取っているところを何度も見ていました。メンバーの意見を集約して、伝えていたんです。今の自分にまだ足りていないところだと思います。

ライブ後の関係者さんや、スタッフさんに向けた挨拶も完璧でした。ステージでファンのみなさんに向けた素晴らしいスピーチをした後に、また違う角度から感謝の言葉を紡いでいる桜井さんはすごいなと憧れていました。桜井さんは歌もダンスもレベルが高くて、パフォーマンスでもメンバーを引っ張っていく存在でした。それでいて隙もある性格なので、後輩も接しやすかったんです。

桜井さんのキャプテンとしての行動力が表に出たのが、17年11月の東京ドーム公演のアンコールでした。卒業する伊藤万理華さんと中元日芽香さんを送り出す意味で『きっかけ』（2ndアルバム収録）を歌いたい」とスタッフさんに相談してくださっていたんです。

当時、3期生は加入して1年くらいだったので、自分たちの手の届かない世界の話のように感じていました。振り返ると、自分たち次第でどう転ぶか分からない場面で、しっかり結果を残した先輩方はすごくカッコいいと思います。

桜井さんの卒業が発表された頃から、スタッフさんに「梅澤は全体も見るようにしてほしい」と言われ始めました。当時は、「自分が次期キャプテンに指名されたらどうしよう」とおこがましくもうろたえていましたが、今思えば、あの時点で私がキャプテンを任されることはありえませんでした。当時の私はキャプテンを背負う覚悟も実力もまったく身についていなかったので。

メンバーに寄り添ってくれた秋元キャプテン

「真夏の全国ツアー2019」の大阪公演（8月）で、真夏さんが次期キャプテンに指名されました。楽屋で泣いている真夏さんの姿を見て、「キャプテンを支えたい」と心に誓ったことをよく覚えてます。卒業される1期生さんが増えていくなか、真夏さんは先輩、後輩の垣根を越えて、メンバーに寄り添ってくれるキャプテンでした。

真夏さんは、場の空気を和ませてくれる温かさがありながら、言うべきことは言葉にしてくれるんです。「真夏の全国ツアー2021」で、真夏さんが（齋藤）飛鳥さんと私を伴って、4期生のみんなに「もっとプロ意識を持ってほしい」と涙ながらに思いを伝えたこともありました。「人と人」として向き合ってくれる人間力が、真夏さんのキャプテンシーだったと思います。

その頃には、真夏さんがグループへの思いや「今やるべきこと」を私に共有してくれるようになって、私から真夏さんにグループの現状を伝えることも増えました。真夏さんのキャプテン就任から2年たって、ようやく「少しは力になれているのかな」と思えるようになったんです。

初の「副キャプテン」に就任

21年11月に副キャプテン就任が決まったときは、戸惑いもありました。グループにとって初めての役職なので、「副キャプテン」として何をすべきか分からなかった。スタッフさんから明確な役割を伝えられたわけではなかったので。

既に、真夏さんが現場にいらっしゃらないときは、スタッフさんから「代わりに梅澤に挨拶してほしい」と言われていたので、「これ以上、自分は何ができるんだろう」と、副キャプテンの意味を考えて、悩んでいました。ただ、こうした肩書がついたことで、真夏さんの隣にいる理由が明確になったのはよかったのかな、と思います。

乃木坂46の「3代目キャプテン」に

23年2月に開催した「11th YEAR BIRTHDAY LIVE」DAY1で、真夏さんからキャプテンのバトンを受け取ったときは、正直、不安な気持ちしかありませんでした。真夏さん、飛鳥さんが卒業した乃木坂46を背負っていくこれからの責任の重さを想像して、ステージから逃げ出したくなるほどの怖さを感じたんです。「自分が任されるのかな」と予測していながら、反抗期というわけではないですが、心の中で「私には無理」と抗っていました。

でも、下を向いてウジウジしても仕方ないから、すぐに「前を向こう」と決めたんです。憧れていたグループのキャプテンになるなんて、そんな光栄なことはないですし、「自分がやってきたことを認めてもらえた」と考えて、「期待に応えるしかない」と気持ちを切り替えました。

自分なりに試行錯誤して「キャプテンだからといって、カッコよく見せる必要はない」という結論に至りました。今のメンバーたちなら、私のダメなところも受け入れてくれるはず。そして、活動を1つひとつ形にしていくうちに、キャプテンとしての自覚が芽生えていきました。

最初は「キャプテンだからこうするべき」と縛られてしまうのでは、という不安もありました。個人としての力も高めたい時期でもあるので、両立は難しいのではと悩んでしまったんです。でも、キャプテンを完璧に務めることができれば、個人での活動を任せてもらえる機会も増えるのでは、と考え方をプラスに切り替えました。

キャプテンになってから、高橋みなみさん（元AKB48）の『リーダー論』をはじめ、キャプテンシーを学ぶことができるビジネス書をたくさん読みました。でも、みなさんそれぞれ私とは環境が異なるし、そのままマネをしても意味がない、参考程度にしようと本を閉じました。

忘れられないのは、昨年9月にバレーボール日本代表の石川祐希選手が『THE TIME,』（TBS系）に出演された際、私から「キャプテンとして意識していること」を質問したときの言葉です。「チームはキャプテンのようなチームになる」と答えてくださったんです。私ももしかしたらそうかもしれないと感じ始めていましたが、それをチームの代表として言葉にするのは相当な覚悟がないとできないはず。そのときから、私も石川選手の言葉を胸に活動しようと決めました。いつかは私も、そう言い切れるキャプテンになりたいです。

キャプテンには人間らしさも必要

一方で、オンラインミート&グリートなどで、ファンの方から「先輩や上司としてどう振る舞ったらいいのか」について質問を受けることもあります。私自身のことでいえば、副キャプテンになったばかりの頃は「完璧でいないといけない」と気を張りすぎていたんです。「近寄りがたい空気感が出てしまっている」と気づいてからは、「意識的に隙も見せたほうがいい」と思うようになりました。なので、「人間らしさがあるほうが、人はついてくるはず」とお伝えしています。思えば、桜井さんも真夏さんもそうでした。

キャプテンとして意識していることはいくつかあります。MCはもちろん、関係者の方への挨拶でも、私が代表して話すことが多くなりました。そういったときは私個人の気持ちではなく、「メンバー1人ひとりが納得できる言葉を残そう」と考えています。

『乃木坂工事中』では、スタジオに入るときは大きな声で挨拶して、収録が始まったらリアクションをしっかり取る。当たり前だけど疎かになってしまいがちなことを徹底しています。長く続いている番組だからこそ、なれ合いになったらいけないので。

ただ、5期生も2年近く活動しているので、「しっかり挨拶をする」「楽屋をキレイに使う」など具体的に言葉にする機会は意識して減らしています。「気づいてね」という気持ちで、置きに行っています。私の姿を見て、何かを感じてもらえたらうれしいです。

大切なのは、過ごしやすい空気感を作ること。長時間にわたるミュージックビデオの撮影や振り入れでは、あえてふざけて場を和ませることもあります。みんながプラスの感情でいられるように心掛けています。楽屋や制作の様子はみなさんには見えませんが、その空気感はステージなど表の舞台でも必ず伝わるはずだから。

ただ、「真夏の全国ツアー2023」で、そうした空気感が作り切れなかったという反省はあります。

先輩たちと一緒にやってきたように進めても何か足りなくて、通しのリハーサルから本番に限りなく近いテンションで挑むことで、なんとか初日に間に合いました。

各期に贈る言葉

乃木坂46は魅力あふれるメンバーばかりですし、いつもメンバーのみんなに支えてもらってばかりで、本当に感謝しています。

5期生からは、生まれ持った才能を感じます。だからこそ高いレベルが求められて、それぞれが壁を乗り越えようと奮闘しています。いい意味で怖いもの知らずで、『超・乃木坂スター誕生!』(日テレ系)など5期生だけの場では、自由に発言して、行動しているように感じます。これからはグループ全体の場でも、自由に動いてほしいです。

4期生は、6年目なのに加入時と変わらず謙虚で、先輩後輩の関係を大切にしているんです。彼女たちの優しさや思いやりに救われることはたくさんあって、3期生と5期生をつなげてくれる存在でもあります。真ん中の世代は難しいと思うけど、先輩や後輩に遠慮することなく自分らしさを出してほしい。既に信頼関係は築かれているので、4期生が決めたことはなんでも受け入れるつもりです。

3期生は、「大人になったな」と思うところも、変わらないところもあって。みんな負けず嫌いで、ハングリー精神を持ち続けています。それぞれがベクトルの違う熱さで活動して、自分の強みを生かしています。言葉にするのは難しいですが、3期生は今の乃木坂46を引っ張っている自分のことをもっと好きになってほしいです。みんな将来のことを考えながら、これからも一緒に頑張っていけたらうれしいです。

個人としての活動

乃木坂46は、それぞれのメンバーがグループ活動と並行しながらモデルや舞台、ドラマ、バラエティ番組出演など、個人としても活動をすることで、グループに興味を持っていただくきっかけの幅を広げてきました。

モデル

ファンとしてグループを見ていたときは、乃木坂46の個人活動といえばモデルという印象がありました。私たち3期生が加入した頃から、個人活動はより盛んになったと思います。ミュージカルと全国ツアーを両立されている生田絵梨花さん（21年卒業）を見て、「こんなに努力しないと乗り越えられないんだ」と衝撃を受けました。

私は「乃木坂46が好き」という気持ちだけでグループに入ったので、「将来は女優になりたい」「バラエティで活躍したい」といったことは頭になかったんです。そもそも乃木坂46には入りたかったけど、芸能界には興味がありませんでした。加入してから「こんな選択肢があるんだ」と初めて知ったんです。

私が乃木坂46に興味を持ったきっかけはファッション誌に掲載された白石麻衣さんの写真でした。月に何冊も買うほどファッション誌が好きでしたが、「カッコいい」と「かわいい」の両方ができる白石さんを見てビビッときたんです。それから一気に白石さんにハマって、乃木坂46にも興味を抱きました。

乃木坂46に入って、モデルは秘めた目標の1つにしていました。「Ｇｉｒｌｓ Ａｗａｒｄ」を見に行ったこともあるし、コンプレックスだった高身長を武器に変えることができるかもしれないって。ただ、まだ加入したばかりの自分が口にすることは躊躇していました。

白石さん以外にも、齋藤飛鳥さん、西野七瀬さん（18年卒業）、松村沙友理さん（21年卒業）など、モデルとして活動している先輩方は多かったです。普段お会いしているときももちろんすてきなのですが、ファッション誌でまた異なる表情を見せていることがすごいなと思いました。私もあんな表情ができたらライブでも生かせるはずとますます憧れが強くなっていきました。

自分で学んだモデルとしての撮影

同期の久保が17年に『Ｓｅｖｅｎｔｅｅｎ』の専属モデルになったことで、「3期生にも可能性がある」と心が動かされました。さらに、18年には山下が『ＣａｎＣａｍ』の専属モデルに選ばれたんです。

そして、19年に『ｗｉｔｈ』の専属モデルに私を選んでいただいたときは驚きました。20代から30代のOLさんをターゲットにしている『ｗｉｔｈ』は、当時の私にとって「お姉さんの雑誌」だったんです。それまで1、2回、撮影に呼んでいただいたことはありましたが、うれしさと共に、「自分に務まるのかな」という不安もありました。

やはり最初は撮影に苦戦しました。イメージは伝えてくださるけど、ポーズの指定はないので、自分の引き出しから表現するしかないんです。アイドル誌やコミック誌のグラビアとは全く違いました。『ｗｉｔｈ』はオフィスというシチュエーションが多くて、動きのなかで撮っていただくことが特に難しかったです。表情を作りながら、洋服を見せなくてはいけないので。

ファッション誌を何十冊も読み込んで研究しました。違うカラーのファッション誌も勉強になるんです。ただ、モデルの活動をされている先輩方からアドバイスを聞くことはできませんでした。『ｗｉｔｈ』は私1人の撮影だったから自分で学ぶしかなかったんです。自分からコミュニケーションを取れるタイプではなかったので、先輩のモデルのみなさんのことをひたすらじっと見ていました。

撮影を重ねるうちに『ｗｉｔｈ』編集部やスタッフの方とのコミュニケーションが増えて、現場を楽しめるようになったんです。表情も自然になったはず。場数を踏むことは大切なんだと学びました。何百枚撮っても誌面に載る写真は数枚だからこそ、「どのカットも使ってもらえるような撮影にしよう」と臨めるようになったんです。

理想は、ファッション誌に載った私のことが気になって、「乃木坂46のメンバーなんだ」と知ってもらうこと。『ｗｉｔｈ』のみなさんも「アイドル」という先入観を持たずに接してくださいましたし、私も「アイドルが片手間でやっている」と思われてしまうのは悔しいので、自分の中のスイッチを入れて撮影に挑みました。また、マネジャーさんが同伴することがなく、自分1人で仕事場に向かうという環境が責任感の芽生えにもつながりました。

専属モデルを続けていると、「『ｗｉｔｈ』を読んで好きになりました」という女性ファンの方が握手会に来てくださるようになりました。乃木坂46を知ってもらう入口になれたことがうれしかったです。とはいえ、「乃木坂46があってこその自分」が軸にあるので、ただ好きなことをするだけではなく、いかにグループにつなげるかはいつも意識しています。

30秒で自分を表現するランウェイ

「Ｇｉｒｌｓ Ａｗａｒｄ」や「ＴＯＫＹＯ ＧＩＲＬＳ ＣＯＬＬＥＣＴＩＯＮ」への出演も実現しました。加入したばかりの頃、乃木坂46とＳＨＩＢＵＹＡ１０９がコラボしたランウェイがあって、3期生は客席から見させていただいたんです。間近で先輩方が堂々と歩く姿を見てからは、夢の1つになっていました。

ランウェイは歩くたびに身が引き締まります。乃木坂46のライブはファンの方たちが温かく受け入れてくださるホームのような場所だけど、ランウェイはそうではないので、毎回プレッシャーを感じます。楽曲のパフォーマンスとは違って、30秒くらいで表現しなければならないのも難しいですが、好きな現場の1つになりました。

体型維持にも試行錯誤していて、ランウェイを歩くモデルの方を見ていると基準が分からなくなってしまいます。1度、自分を追い込みすぎてしまったこともあったので、その反省を生かして、今は健康的かつ自然体でいたいと思っています。

写真集『夢の近く』（20年9月）は、『with』のみなさんと制作させていただきました。一緒に撮影してきたチームだからこそ、緊張せずに自分らしくいられることができたし、私に合うロケ場所や洋服を提案してくれて、いい作品ができたと思います。

『with』は22年から適時刊行に移行したので、ファッション撮影の機会は減ってしまいました。今後もファッション誌で撮影させていただきたいですし、夢ではありますが、ブランドのコレクションでランウェイを歩きたい気持ちがあります。

バラエティ、情報番組

冠番組『乃木坂工事中』では引っ掛かりのあるコメントを残そうと意識していますが、個人としての番組出演では、視聴者目線で話すことを心掛けています。

21年10月から23年3月まで『THE TIME,』にレギュラー出演させていただきました。朝の番組ということもあり、メイクや衣装に爽やかさが出るように工夫していたんです。月曜日のレギュラーだったので、「1週間のスタートを切るみなさんを明るく送り出せるように」と常に笑顔でいることを意識しました。

ちょうど副キャプテンに就任させていただいた時期からの出演でした。『THE TIME,』に出演したことで、今までとは違う、例えば主婦の方にも声を掛けていただくことが増えました。番組を卒業して半年以上たっても、「朝、見てるよ」と言われることがあるんです（笑）。

今は視聴者として『THE TIME,』を楽しませてもらっています。水曜レギュラーのみーきゅん（一ノ瀬美空）は、安住紳一郎さんのムチャ振りに健気に対応していて癒やされます。

舞台

舞台でのお芝居に面白さを感じるようになったのは、乃木坂46の伝統である『3人のプリンシパル』（17年2月）でした。第2幕の出演が観客のみなさんの投票で決まるので、「第2幕に残るためにどんな自己アピールをしたらいいのか」と考えることに注力していたんです。同期と競う苦しさはありましたが、精神面は鍛えられました。

オーディションで勝ち取ったエリザベス役

初めて乃木坂46から個人として出た舞台『七つの大罪 The STAGE』(18年8月)は、オーディションでヒロインのエリザベス役を勝ち取ったんです。「絶対に受かる!」という強い気持ちで臨んだことを覚えています。

それまで、乃木坂46で結果を出せていないのでは、と悩んでいたので、『七つの大罪』で自分の殻を破りたいと思っていました。日程が全国ツアーと被っていましたが、この「乃木坂46の洗礼」を乗り越えたらさらに強くなれるはず、と自分に言い聞かせて頑張りました。

『七つの大罪』のオーディションに受かって本番が始まるまでの間に、『星の王女さま』(18年4月)と乃木坂46版 ミュージカル『美少女戦士セーラームーン』(18年6月、9月)がありました。

振り返ると、『セラミュ』で、セーラームーン役の井上小百合さん(20年卒業)に舞台に立つ心得を教えていただいたおかげで、『七つの大罪』のスタートラインに立てたんだと思います。

『セラミュ』は2チーム制でしたが、私たちのTeam STARに比べて、Team MOONは舞台経験者が多くて、すぐにまとまっていました。私は演技の基礎を学ぶところから始めましたが、何度も話し合いを重ねるうちにチームの結束力が強くなっていきました。

子どもの頃から『セーラームーン』が好きだったので、原作へのリスペクトを大切にしたいし、原作ファンを裏切ってはいけない、という意識も強かったです。『セラミュ』で過ごした青春の日々は、記憶のなかで今も美しいまま残ってます。

『セラミュ』で恥をかくことを恐れなくなったので、『七つの大罪』の稽古でも全力でぶつかることができました。「抑えていいよ」と言われるまでは150%を出し続けようというくらい本気でした。

『七つの大罪』で演じたエリザベスは人との出会いで強くなっていく。その姿が自分と重なったので、感情移入できたんです。ファンタジーのようでいて、自分にとっては現実味がありました。『七つの大罪』の千秋楽を迎えたときの達成感がすごくて、これからも舞台を続けたいと思いました。

セリフがないときの動きは指示されないので、自分で考えるんです。周りを見ながら演じることもこのときに覚えました。

『七つの大罪』からしばらく舞台の活動はありませんでした。「今は乃木坂46の活動に集中したほうがいいのでは」と考えていたことも理由の1つです。

「BIRTHDAY LIVE」と両立した『キングダム』

そして、23年2月から5月まで『キングダム』に楊端和(ようたんわ)役で出演させていただきました。「11th

YEAR BIRTHDAY LIVE」の期間と重なっていましたが、個人としての活動が停滞してしまっていると感じていた時期でもありました。

顔合わせや本読みでは、Wキャストだからこそのプレッシャーがありました。でも、今回は美弥るりかさんと2人で「お互いの解釈」を話し合って、それぞれの楊端和を演じたことが心地よかったです。演技のブランクを埋めるために、稽古が始まるまで原作を読み込んで研究を重ねました。作品とのリンクを考えながら役作りに没頭したんです。活動7年目でも恥をかけて、新しい一面を見せることができる場があることをうれしく感じました。

『キングダム』を経験して、改めて乃木坂46は甘えが許される場なんだと気づかされました。『キングダム』に出演している役者さんはそれぞれが個人で戦っているので、自分から発信していかないと取り残されてしまう。乃木坂46のメンバーはみんな真面目だけど、自分から意見を言わなくてもライブは成立するんです。『キングダム』に出演しているみなさんは自己プロデュースがしっかりできているので、自分も見習いたいと学ぶことができました。

3カ月間の公演を通して、何度も自分の演技を確認して、周りの意見を聞いて、鍛えられたんです。最初の東京公演と最後の北海道公演では、まったく違う私に成長できました。キャプテン就任やシングル制作といった環境の変化とも重なり、自分にとって大きなターニングポイントになりました。

『キングダム』の出演で、お芝居をしたい気持ちはより強くなりました。今後も舞台の機会があれば積極的に取り組みたいですし、乃木坂46の活動と両立できる自信はあります。

ただ、乃木坂46のキャプテンとして個人活動をしている以上、グループを大きくすることが最優先だと思っています。グループの活動に100％取り組んでいる前提で個人活動を頑張りたいんです。

ありがたいことに様々な場で個人活動の経験を積ませていただいていますが、いつか自分がグループを卒業してから「このジャンル1本で」と決めているものはありません。今は乃木坂46で力を蓄えて、自分が歩んでいく道を見つけたいです。

メンバーから「梅澤キャプテン」へのメッセージ

3期生

佐藤 楓（かえで）

梅（梅澤の愛称）は加入直後から3期生をまとめてくれて、私より年下だけど「お姉さん」という感覚がありました。後から、「自分はまとめるタイプではないけど、周りを見て〝私がやるしかない〟と行動した」と聞いて驚きました。

憧れのグループに入ってすぐに、年齢差がある同期たちをまとめるのは、かなりの勇気が必要だったはず。特に、『見殺し姫』のときは、3期生1人ひとりと向き合ってくれました。

そして、気づいたら一緒にいると落ち着く存在になって、梅にはなんでも打ち明けることができるようになっていたんです。

私が乃木坂人生で1番落ち込んでしまったとき、梅と2人で歩きながら自分の思いを吐き出したことがありました。私が泣いていたら、梅も涙を流しながら聞いてくれて。気づいたら1時間以上歩いていました。忘れられない出来事です。

私が悩みを聞くこともあります。キャプテンの梅が背負っているものは大きすぎるから、どこまで理解できているのか分からないし、的確なアドバイスはできていないかもしれません。でも、梅にとって私が居心地のいい場所になっていたらいいなと思います。

2人で遊ぶときは梅の家に行くことが多いです。一緒にメイクを落として素の自分になるところから始まります。テレビや動画を深夜まで見て、そのまま寝落ちして、朝起きたら「じゃあね」と帰ります（笑）。23年の夏休みは2人で京都に行って、ゆったりまったり過ごしました。いつか乃木坂46のメンバーという関係がなくなる日が来ても、梅との仲は一生続くだろうなと思います。

梅とは「後輩たちにも、スタッフさんにも〝説得力〟のある人でいたい」とよく話していました。表には見えていないところまで含めて、「この人ならついていきたい」と思われる人を目指していました。

3期生の気持ちが乗った梅の発言

キャプテンになった梅からはその〝説得力〟を感じています。特に、「真夏の全国ツアー2023」で「嫌われる勇気」を持って後輩に接して、優しいだけではなく厳しい言葉を掛ける姿に心を打たれました。グループを正しい方向に導いてくれる梅には感謝しています。

全国ツアーの千秋楽で、梅が発した「私たちが乃木坂46です！」という言葉にも〝説得力〟がありました。

「7th YEAR BIRTHDAY LIVE」(19年2月)で卒業された先輩のポジションに3期生が入ったとき、いろいろな声がありました。お互いにそれでも先輩に食らいつこうとする気持ちは変えなかったし、1期生さんと2期生さんの卒業が続いたときは、「自分たちの足で立つときが来た」と覚悟を決めたんです。

そして、白石麻衣さんが卒業された後、梅が『シンクロニシティ』のセンターを務めることになりました。梅は憧れの先輩のポジションに堂々と立って、新しい色の『シンクロニシティ』を見せてくれました。

「真夏の全国ツアー2023」は1期生さん、2期生さんが全員卒業されて、梅がキャプテンになってから初めてのツアー。今の乃木坂46で明治神宮野球場を4日間満席にできたとき、「私たち3期生もついに認めてもらえた」という気持ちになったんです。その思いが、梅の「私たちが乃木坂46です!」という言葉に乗っていました。

梅のおかげで、私はまだ乃木坂46にいることができています。これからも私には何でも話してほしいです。

5期生

一ノ瀬美空

梅澤さんとコミュニケーションを取る機会が増えたのは、秋元真夏さんが乃木坂46を卒業されて、キャプテンに就任されてから。接しているうちに、梅澤さんの愛の深さを感じるようになりました。

メンバー全員のことを細かいところまで見てくれて、「ここの振りがあいまいになっていたから」と正確な振り付けを教えてくれたり、1人ひとりに言葉を掛けてくださるんです。

5期生の単独公演（11th YEAR BIRTHDAY LIVE DAY2、23年2月）の終演後、梅澤さんから連絡が来て「美空ちゃんのMCはアットホームな雰囲気が出ていて大好き」と褒めてくださったんです。自分はMCが得意ではないと思っていたので、励みになりました。

梅澤さんのMCを見て、勉強させていただいています。誰かがしゃべった後、梅澤さんは必ずそのメンバーのエピソードを入れているんです。1人ひとりのメンバーとしっかり関係性を築いているからできることだと思います。

私はしっかり準備して、メンバーに「これを聞いていい？」と確認してからステージに立つんですけど、梅澤さんは自然体でこなしているからカッコいいんです。

「真夏の全国ツアー2023」のユニットコーナーで、私は『白米様』（15thシングルカップリング、16

年7月）をセンターで披露しましたが、お米のかぶり物をしたコント仕立てのパフォーマンスだったので不安が大きかったんです。

でも、梅澤さんが「今回のユニットで『白米様』が1番好き。コントを取り入れたパフォーマンスを任されるのはスタッフさんから信頼されているからこそだから、自信を持ってね」と言ってくださって、心が救われました。

梅澤さんに替わって、23年4月から『THE TIME,』にレギュラー出演させていただいています。最初の放送日の2週間前に、梅澤さんから「局に入ってからの流れ」をメッセージで伝えていただきました。本番前日にも「朝の番組だからしっかりと無理をしすぎずに、美空ちゃんらしく」という連絡をもらいました。梅澤さんのおかげで、楽しみながら出演できています。

「あなたらしくいてね」の一言に感謝

梅澤さんが私によく伝えてくださる言葉が「あなたらしくいてね」です。私がライブのMCで「一発芸をやりたいです」と申し出たときも、「肩の力を抜いて、美空ちゃんらしく。何かあったら守るのが私の役割だから」と話してくださったんです。

私は同期の小川彩ちゃんのことを溺愛しているんですけど、梅澤さんも彩ちゃんにメロメロになっているところをよく見かけます。彩ちゃんの話をしていると、梅澤さんはとろけそうな笑顔になるんです。自慢の娘が大好きな人にかわいがられているようで、誇らしい気持ちです。梅澤さんのことも、彩ちゃんのことも大好きだから嫉妬はありません。

普段はあまり表に出していませんが、梅澤さんのことが大好きで、梅澤さんが乃木坂46のキャプテンを務めてくださることに感謝しています。

夢は、いつか梅澤さんのご自宅に1人でお邪魔させていただいて、手作りの料理を食べさせてもらうことです。私は料理も掃除も苦手なので、梅澤さんのスタイリッシュな生活に接して、美意識を高めたいです。

梅澤さんは、どんなに朝早くてもセルフメイクをして現場に入るので、5期生は誰も梅澤さんのすっぴんを見たことがないんです。もっと成長して、梅澤さんが素を見せてくれるほど頼られる存在になりたいです。

5期生

井上和

梅澤さんの最初の印象は「しっかりしたお姉さん」。でも、3期生さんと一緒にいるときはキュートな一面もあって、そのギャップが好きなんです。

5期生が初めて先輩方と同じステージに立たせていただいた日産スタジアムの「10th YEAR BIRTHDAY LIVE」では、梅澤さんと久保史緒里さんが「このときの返事ができていなかったから、こう変えたほうがいい」と丁寧に伝えてくださいました。優しさを感じた注意だからこそ大きな危機感を抱いて、同期の菅原咲月と話し合いました。

梅澤さんはいつだって凛としていて、背中を丸めているところも、ダンスで手先に力が入っていないところも見たことがありません。「私も、パフォーマンスも普段の生活も、もっときちんとしないといけない」と背筋が伸びます。

その立ち居振る舞いから、「女性の憧れ」というイメージが強い梅澤さんですが、1対1でお話しできるようになると、私の何気ない一言でたくさん笑ってくださって、親しみやすさも感じさせてくれるんです。

最近は、私の前でもキュートな一面を見せてくれます。梅澤さん、矢久保（美緒）さん、私の3人でアプリゲーム『乃木坂的フラクタル』のナレーションを収録したとき、PCの起動音が聞こえてきたら、梅澤さんはBGMだと勘違いして「しっとりした音楽だね」って。矢久保さんがツッコミを入れたら、照れ隠しで平然を装っていた梅澤さんがかわいかったです（笑）。

梅澤さんに救われた全国ツアーの座長

「真夏の全国ツアー2023」は、梅澤さんがキャプテン、私は座長として各地を回らせていただいたことで、心の距離が近くなったように感じました。私にとって、梅澤さんはお姉ちゃんのような存在です。

私は初日からプレッシャーを感じていましたが、泣いてしまったら周りに迷惑を掛けてしまうし、自分が自分ではなくなってしまうと思い込んで、ずっと我慢していたんです。だけど、『おひとりさま天国』を初披露する沖縄公演では堪えきれず、メンバーの前で涙を流してしまいました。そのとき、梅澤さんをはじめとしたメンバーたちが寄り添ってくれたんです。それで、一気に安心することができました。

さらに東京公演では、初日は緊張したまま終わってしまい、2日目の本番直前に梅澤さんが「和なら大丈夫だと思っている。だけど、その言葉がプレッシャーになっているかもしれないよね。今は楽しむことを優先してほしい」と話してくださったんです。その言葉に救われました。ライブ本番は、なにより梅澤さん自身が楽しそうにされているので、私も笑顔になれたんです。

梅澤さんもキャプテンとして初めてのツアーで大変だったはずなのに、私は自分のことで精いっぱいで助けてもらってばかりでした。毎公演での座長としてのスピーチも、その後の梅澤さんのフォローのおかげでなんとか成立していたと思っています。いつかは梅澤さんに恩返しをしたいです。

『乃木坂工事中』で、私がお世話になった方に会いに行く「ヒット祈願」のVTRの後、梅澤さんの「(メンバーは)ご家族とか、大切な人たちからお預かりしている」という発言を聞いて、自分自身のことも、周りのメンバーのことも、梅澤さんのことももっと大切にしたいと思いました。

今は梅澤さんから声を掛けていただくことが多いので、これからは私から梅澤さんに話し掛けたいと思います。そして、お忙しいから難しいかもしれませんが、いつか梅澤さんと2人でご飯に行って、じっくりお話がしたいです。

2018年
〜
2023年

「乃木坂46 3期生
梅澤美波の清楚系熱血派」より

初出は月刊誌「日経エンタテインメント!」(日経BP)。
年月は掲載月号、表記・内容は原則として初出時のままです。

#1

2018年5月号

20thシングル選抜が発表に。私は「今ではない」と思っています

生駒里奈さんからバトンタッチして、今月から日経エンタテインメント！で連載をさせていただきます。乃木坂46の3期生・19歳の梅澤美波です。

私のことを知らない方も多いと思うので、今回は自己紹介からさせてください。乃木坂46に興味を持ったきっかけは、ファッション誌を通して好きになった白石麻衣さんなんです。白石さんは異性からも同性からも好かれるキラキラ感があって。でも、バラエティ番組では抜けている部分を見せるようなギャップも魅力なんです。

最初は3期生に応募するつもりはなかったんですけど、3期生オーディションセミナー（2016年4月）に白石さん、（斉藤）優里さん、（中田）花奈さんが登壇されると知って、話を聞いてみたいと思いました。このセミナーで2次審査に進めるシード権をいただいたので、母親に相談したら「思い出作りしてきたら？」と言われて挑戦することにしたんです。

私はアイドルらしい見た目ではないので躊躇する気持ちもありました。でも、様々なジャンルでメンバーが活躍している乃木坂46なら、自分にもどこかに居場所があるんじゃないかと思えたんです。

クールに見られるまとめ役

3期生の中では自然と「まとめ役」になっていました。3期生12人で活動することが増えていくにつれて、まとまりのなさに「このままじゃダメだ」と思うようになったんです。痛感したのが『FNS歌謡祭』（16年12月）で、3期生としてけやき坂46さんと一緒に出演したとき。私たちのリハーサルに臨む姿勢や、あいさつなどの基本的なマナーを生駒さんから注意されたのがきっかけでした。

3期生とはいえ、乃木坂46という大きな看板を背負っている以上、先輩たちの顔に泥を塗るような行動をしてはいけない。じゃあ、年齢的にも上のほうの自分にできることがあればと、みんなに声をかけるようになったんです。

ライブだったら「ここの振りはそろえよう」、楽屋では「先輩を待たせてはいけないから早く行動しよう」と促したり、スタッフさんに対する態度を注意したこともありました。ずっと上下関係が厳しいバレー部にいたので、それが当たり前だと思っていたんですよね。

同期から注意されて快く思わない子もいるはずなので、言い方は考えています。岩本（蓮加・14歳）は反抗期だから優しく諭すように、阪口（珠美・16歳）は受け入れてくれるからバシッと注意して、佐藤（楓・20歳）や吉田（綾乃クリスティー・22歳）は年上だけど気にせずに、中村（麗乃・16歳）は繊細だから間接的に話しています。

私はクールに見られて、「大人」とか「まとめ役」と言われがちで、違う面を出せずにいることが今の課題です。

１７０㎝の身長の高さにコンプレックスを感じることもありました。フォーメーションを組むときにバランスを崩してしまっているのではと気になって、アイドルに向いてないんじゃないかと悩んだこともあります。だけど、握手会でファンの方と接していくうちに、みんな受け入れてくれるのに「コンプレックス」なんて言うことが申し訳ないと思えてきたんです。

だから、『未来の答え』（18thカップリング）でフロントに立ったときは、「背が高くても前に立てるんだ」とすごくうれしくて。新しいタイプのアイドルになれるように頑張ろうと心に誓いました。

目標の1つであるモデルのお仕事は、身長だけではできないことは分かっています。でも、目標は口にしていくべきだと思っているので、少しずつでも近づいていきたいです。

気持ちを切り替え前向きに

ここからは最近の出来事をお伝えします。20thシングル『シンクロニシティ』の選抜メンバーに3期生の4人（大園桃子、久保史緒里、山下美月、与田祐希）が入りました。18th（『逃げ水』）で桃子と与田が選抜入りしたときは自分が取り残されたような気がして「寂しい」という気持ちが強かったけど、今回は近くで見てきて必要とされている4人が入るべくして入ったと納得しています。

桃子と与田は『逃げ水』の期間に見違えるように成長したし、山下と久保は人気も実力も高くて周囲からの期待にしっかり応えている。選抜入りできなかった3期生の中には落ち込む子もいたけど、みんな気持ちを切り替えて前を向いています。

私自身は「今ではない」と思っています。今はまだ選抜以外の場所で力をつける時期なんだろうなって。20thからは3期生だけでの活動は減っていくはずで、自分にとってアンダーとして先輩方と活動を共にすることはチャンスだと受け止めています。アンダーライブを見に行かせてもらったときはそのパフォーマンスに涙が止まらなくなるほどでしたし、学ぶことが多いと思うので。

4月は3期生の8人で挑む舞台『星の王女さま』の上演もあります。シングルカップリングの制作と舞台稽古で慌しい毎日ですが、新しい自分が見つかるような期間にしたいです。

最近は3期生12人、各自の活動が見えてきて、まとめ役の要領も分かってきました。みんな、言わなくても行動できるように成長していると感じています。

#2
2018年6月号

3期生8人で挑んだ舞台『星の王女さま』信頼し合える理々杏には助けられました

3月23日から25日に『乃木坂46時間TV』が配信されました。初めて参加して、見ている側では分からなかったものすごい数のスタッフさんが動いてくださっているんだと実感しました。

1人10分間、自分がやりたいことを放送する『乃木坂電視台』では、先輩方の私服を当てる企画に挑戦して全部当てることができたんです。人見知りだから声をかけることはできないんですけど、普段から密かに先輩方の私服はチェックしていました。握手会でも推しメン以外の私服を見る機会は少ないので、ファンの方にも喜んでいただけたんじゃないかな。

久しぶりの3期生ライブ

松村（沙友理）さんの『電視台』では紫の全身タイツを着たミナミンとして出演しましたが、めちゃくちゃ恥ずかしかった（笑）。でも、結果的に好評だったので、今はやって良かったです。次の機会があれば照れずにやりきりたいですね。

若様軍団（若月佑美、梅澤、阪口珠美、山下美月によるユニット）の企画では脱出ゲームに挑戦しました。初めての体験だったんですけど、小さい頃からなぞなぞの本を読むのが好きだったので、楽しく謎を解けましたね。

2日目には富士急ハイランドで3期生によるライブもありました。3期生だけという環境が久しぶりで、にぎやかな楽屋にいると「やっぱり落ち着くな」って。リハーサルでは「3期生だけのライブはこれが最後かも」「だとしたら寂しいいね」なんて会話もありました。

そんな気持ちで臨んだライブでは、私がセンターで『ハルジオンが咲く頃』(14thシングル、16年3月)を披露させていただきました。もともと思い入れが強い曲なんですけど、イントロ中にメンバーと目を合わせたときは泣きそうになってしまって。

また3期生でライブをしたい気持ちは強くて、お見立て会の舞台でもあった「日本武道館にまた立って、12人の成長を見てほしいね」とみんなで話しています。

エンディングで生駒(里奈)さんが描かれたちぎり絵を見た時は感動しました。生駒さんは3期生の舞台『見殺し姫』を見に来てくださった後、1人ひとりに連絡をくれたんです。

私へのアドバイスは「まとめ役として裏で気を張っているぶん、ステージではもっと肩の力を抜いてもいいんじゃない?」というもので、この言葉には救われました。器用な人間ではないので難しいけど、その言葉を胸にゆっくりと変わっていきたいと思っています。

4月6日から28日までは、3期生の8人による舞台『星の王女さま』の公演。（伊藤）理々杏が演じる王女さまと私が演じる飛行士リンドバーグが、いろいろな星で個性豊かな住人に会うというお話です。初めて台本を読んだときに声を出して笑ってしまったくらい面白い内容なんですけど、シリアスだった『見殺し姫』とは違って、1歩間違えたら「お遊戯会」に見えてしまう。それぞれがしっかり見せ方を考えなくてはいけない舞台だと感じました。

今までの舞台では最初から細かい演出を受けていましたが、今回は畑（雅文・脚本、演出を担当）さんからいきなり「自由に動いてみて」と言われて動揺しました。

でも、前回の『見殺し姫』以上にそれぞれのメンバーにスポットライトが当たる機会が多くて、8人の新しい一面を知ってもらえたんじゃないかと思います。阪口のぶりっ子キャラクターならではの小憎らしい言い回しとか、理々杏の表情だけで間をつなぐところとか、メンバーの演技を見て勉強にもなって。でも、私自身はすごく苦戦して、劇場入りする2日前まで役が入ってこなかったんです。

私は常に受け身で、物語を進行させるためのセリフも多い役だったため、どうしてもキャラクターが薄くなってしまう。最終的には、「リンドバーグはお客さんと同じ目線なんだ」と理解して、他のキャラクターを引き立たせるような演技を心掛けました。

序盤は私と理々杏だけなので「ここで退屈にしてはいけない」と思って、「このシーンで動きをそろえよう」とか理々杏と話したんです。いつもライブのMCも2人でまわすことが多い理々杏とは信頼関係が強くて、表現力が高いことも分かっていますから。

千秋楽で流したうれし涙

東京の千秋楽では3階席に立ち見をしている方まで出たうえに、3回目のカーテンコールでスタンディングオベーションをもらって、涙がボロボロ出てしまいました。

この後も6月に『美少女戦士セーラームーン』、8月に『七つの大罪』と舞台出演が続きます。楽しみではあるんですけど、今は不安のほうが大きくて。これまでの舞台は同期に囲まれていたけど、『セーラームーン』では先輩しかいなくて、『七つの大罪』は乃木坂46のメンバーは私だけ。まだまだ経験不足なので稽古を通して勉強していきたいですね。

舞台のお仕事が続くことに、ファンの方からは「モデル路線だったんじゃないの？」と言われることもあるけど、今は目の前にチャンスがあればつかんで、個人としての力をつけていきたい。それがいつかは乃木坂46のためにもなればいいなという気持ちです。

一緒に舞台に立った3期生たちとの1枚。私が演じた「リンドバーグ」は明るく素直で、発言に説得力があります。ときに冷静さも見せますが、愛らしいキャラクターです。

#3
2018年
7月号

生駒里奈さんが3期生と『初日』を歌った意味をすごく考えました

1期生として乃木坂46を引っ張ってきた生駒里奈さんがグループを卒業されました。今でも普通に楽屋に入ってくるんじゃないかって、生駒さんがいない乃木坂46にまだ慣れない自分がいます。4月22日の卒業ライブでは、生駒さんと3期生全員で、AKB48さんの『初日』を歌わせていただきました。卒業の発表を聞いたときは実感がなかったんですけど、そのリハーサルで急に寂しさが襲ってきて。ライブ本番は生駒さんの後ろ姿を目に焼き付けたいと思いました。

生駒さんが「全力でキャピキャピ踊ってほしい」と言っていたように、『初日』は乃木坂46の曲とは違う、「ザ・アイドル」というステップなので苦戦しましたね。でも、生駒さんがAKB48劇場で歌っていた『初日』を3期生と一緒に歌おうとした意味もすごく考えて。初代センターで兼任もして、何もかも先陣を切ってきた生駒さんは、その姿勢と思いを伝えたかったんじゃないかなって思うんです。

『初日』では、目立つ機会の少ないメンバーを前に出してくれたり、本当に3期生のことをしっかり見て、期待してくれているんだと感じました。特に生駒さんと同じ年齢の吉田（綾乃クリスティー）がWセンターに近い形でパフォーマンスしたことが、私もうれしかったです。生駒さんの卒業ライブを終えて、あの小さな体に、とても大きな荷物を背負っていたんだな、と実感しました。

Mステで3列目の真ん中に

5月11日に放送された『ミュージックステーション』（テレ朝系）では、生駒さん卒業後の新体制の乃木坂46として『シンクロニシティ』を披露させていただきました。星野（みなみ）さんが生駒さん、そして私が星野さんのポジションに入ると聞いたときは驚きました。

握手会のミニライブとかなら「試しで」ということはあるかもしれないけど、まさか『ミュージックステーション』で自分が選抜の立ち位置に入るとは想像もしていなかったです。いつもは長身だから並びのバランスを崩してしまうのではと考えてしまうのですが、今回は3列目の真ん中だったので、自分がキレイに踊り切れれば、パフォーマンスに花を添えることができるんじゃないかと、前向きに考えられました。

『シンクロニシティ』をフルで踊ったことがなかったので、ダンスの先生にマンツーマンで指導してもらって、指先の動きまで意識したパフォーマンスを目指しました。星野さんの映像を繰り返し見ながら、カメラに抜かれた時の表情も研究しましたね。

先輩たちに混じって歌番組に出ることが初めてだから緊張していたんですけど、みなさんとにかく優しくて。新内（眞衣）さんはギューッと抱きしめて「おめでとう。良かったね」と言ってくれたり、星野さんは丁寧に動線を教えてくださったり。白石（麻衣）さんが直前に「頑張ろうね」と声を掛けてくれたおかげで、本番は楽しむことができました。歌い終わったら後ろから抱きしめられて、振り向いたら若月（佑美）さんが「入ってくれてありがとうね」と声を掛けてくれたんです。

放送された映像は何度も見ましたが、まだまだ足りないことばかりだなと反省しました。今回は緊張感がプラスになったかもしれないけど、次も同じようなパフォーマンスだったらダメだと思うんです。だから今後は、どのポジションで呼ばれても対応できるように準備をしないといけないですね。

まことちゃんとの共通点

6月8日からは乃木坂46版『美少女戦士セーラームーン』ミュージカルの公演が始まります。3歳くらいのときからお姉ちゃんと一緒にコスプレをして、グッズやシールもたくさん買って、ゲームで遊んでいました。生まれて初めて自分の意思で好きになった作品が『セーラームーン』だったんです。

「『セーラームーン』が好き」と特にアピールしていなかったのにジュピター役に選んでいただいたこと

は、演じる木野まことちゃんと私に通じる部分を見出してくれたんじゃないかと素直にうれしくて。共通点は背が高くて、気が強そうに見られるところかな（笑）。あと、木野まことちゃんは家庭的で乙女な部分もあるんですが、私も「意外と話しやすいんだね」とよく言われるので、ギャップがあるところも似ているのかなと思います。

『セーラームーン』のミュージカルは、これまで経験した舞台とはすべてが違います。周りが先輩ばかりという環境で、ミュージカルとしての歌い方も、ダンスやアクションも要求される。レッスンでは落ち込むことも多いけど、毎日が新鮮で刺激的です。特にアクションは、ずっと挑戦したかったけど、いざやってみると体が思うように動かなくて。動きをカッコよく見せるのって難しいですね。

演出のウォーリー木下さんは厳しい方。「ジュピターとしてどう動いたの？」と聞かれたり、1つひとつの動きの意味を考えないといけなくて、家に持ち帰って試行錯誤しています。自分が好きな作品だからこそ、原作ファンの方も納得するようなジュピターを演じたいです。

『ミュージックステーション』の楽屋の様子です。『シンクロニシティ』はポジションを聞いてから一生懸命練習して、今の自分を出し切りましたが、次の機会があればもっと頑張りたいです。

#4
2018年
8月号

チームワークが生まれたミュージカル『美少女戦士セーラームーン』

乃木坂46版ミュージカル『美少女戦士セーラームーン』（天王洲 銀河劇場）の本番が6月8日から始まりました。さらに6th YEAR BIRTHDAY LIVEのリハーサル、8月8日に発売になる21stシングルの制作が始まって、不器用な私は気持ちの切り替えが難しくて混乱気味です（笑）。

私は『セーラームーン』で2つあるチームのうち、Team STAR（井上小百合、渡辺みり愛、寺田蘭世、中田花奈）でした。3期生は私だけで、周りは1・2期の先輩だったんです。3期生だけの舞台『星の王女さま』では、自分がしっかりすることで他のメンバーも一生懸命になれるはずだから「私が最初に動かなきゃ」と常に気を張っていました。でも、1番後輩の『セーラームーン』では後ろから追いかけているぶん、素の自分でいられるんです。

主人公の月野うさぎちゃん（セーラームーン）を演じる井上さんの家に自主的に何回も集まって、作戦会議をしました。アニメの鑑賞会をしてアクションシーンの動きを確認したり、舞台の最後にあるライブショーの曲をカラオケで流して振りを合わせたり。みんなフワッとしているように見えますが、すごく真面目なんです。

内に闘志を秘めた5人組

Team MOONは能條愛未(のうじょうあみ)さんや樋口日奈さんなど舞台経験が多いメンバーが多くて、3期生の2人(山下美月・伊藤理々杏)も度胸があるので、1人ひとりの強さが際立つチームだと思います。逆に、私たちTeam STARは内に闘志を秘めたメンバーが多いので、「普通の女の子が強くなっていく過程が見えるのがいい」と言っていただけることがありました。何回も5人で集まって話し合うことでチームワークが生まれて、それが舞台でも伝えられたんだと思います。

最初は不安があったんですけど、井上さんから4人に送られてきた長文のメールで意識が変わりました。「自分の人生とリンクさせながら役作りをしていくといいよ」というアドバイスで、演技に深みが出せるようになったんです。

私が演じる木野まことちゃん(セーラージュピター)は強そうに見えるけど、実は乙女心を持っている女の子。だからこそ、戦いのシーンでは背の高い私ならではの迫力ある、カッコいい蹴りの見せ方を工夫しました。

井上さんが演じるうさぎちゃんははかなさが感じられて、

同じステージに立っている私たちも心が動かされて、毎公演同じ場面で泣いてしまうんです。

みり愛さんはお芝居が上手で、前半の井上さんとのやり取りは、毎回自然にアドリブを入れて、本当に水野亜美ちゃん（セーラーマーキュリー）とうさぎちゃんが話しているようでした。蘭世さんは本番前は「私に『できる』って言って」と不安そうだったのに、舞台に上がると一転して、火野レイちゃん（セーラーマーズ）の強さが出て貫禄さえ感じるほどでした。花奈さんは愛野美奈子ちゃん（セーラーヴィーナス）のキャピキャピ感がありつつも、うさぎちゃんを励ます時の包容力がすごくて。楽屋でもふざけている4人を見守るようなリーダー感があります。

『セーラームーン』が大好きな作品になったので、6月22日でTeam STARの公演が一旦終わってしまったことが寂しいです。赤坂ACTシアターでの公演（9月21日～30日）は、成長した私たちを見せたいと思っています。

7月6日、7日、8日には明治神宮野球場と秩父宮ラグビー場の2会場を使って「真夏の全国ツアー2018 ～6th YEAR BIRTHDAY LIVE～」を開催します。まだリハーサルは始まったばかりですが、2つの会場を行き来するので、きっと今までなら裏でモニターを見ていたような時間も、全部移動に費やされて、常に走りっぱなしなのかなという体力面の不安もあります。ただ、見ていただくファンの方にとっては、かつてない面白いライブになるはずです。

去年の神宮球場でのライブは期生ごとのパフォーマンスが中心で、3期生は最初にステージに立たせていただいたんです。でも今年は3期生として固まることは少なくて、先輩たちと一緒に曲を披露することが多くなりそうです。昨年はただただ必死なだけでしたが、今年は広い会場でも全体を見渡してパフォーマンスできるようになった私をぜひ見てください。

後輩から頼られる先輩に

坂道（乃木坂46、欅坂46、けやき坂46）合同オーディションの募集が7月9日で締め切られます。後輩ができるんだなと聞いて、もうすぐ自分が加入してから2年もたつんだなと改めて感じました。私は背が高いからアイドルに向いていないだろうなと思っていたけど、そのコンプレックスがお仕事につながることもあって。オーディションを受けることで初めて発見できる自分もあるんです。私たち3期生は、2期生さんと加入時期が3年半くらい離れていたから、手の届かない大先輩というイメージでしたが、4期生とはそこまで違わないので、何でも話し合える関係になりたい。後輩から相談される、頼れる先輩を目指します。

大好きなTeam STARの5人での1枚。みんな楽屋でも役柄そのままな雰囲気でした。劇中の舞踏会でのダンスは、いつもの振り付けと全然違って難しかったですが、指先まできれいに見えるように意識しました。

#5

2018年
9月号

初のシングル選抜入り。不安から思わず涙が流れてしまいました

7月1日に21stシングル『ジコチューで行こう！』（8月8日発売）の選抜発表、7月6日からは全国ツアーがスタートして、いよいよ「乃木坂46の夏」が始まりました。

選抜発表は何度経験しても慣れなくて、今回も緊張で固まっていましたが、初めて自分の名前が呼ばれました。前のシングル『シンクロニシティ』の歌番組の収録で代打として入る機会が増えていたので、期待してもらっているとは感じていましたが、選抜入りという形になるのはもっと先だろうと思っていたんです。

3列目では呼ばれなくて「今回もアンダーで頑張ろう」という気持ちになったんですけど、2列目で同じ3期生の岩本蓮加の名前が聞こえてきて、次に2列目のセンターとして自分の名前が呼ばれて。その瞬間は何が起きているのかが理解できなかったです。我に返ると不安から思わず涙が流れてしまいました。

選抜発表後、先輩の新内（しんうち）（眞衣）さんや若月（佑美）さんが声を掛けてくださいました。隣にいた同期の（大園）桃子は「なんで泣いているの。これからはたくさん一緒に写真が撮れるね」と喜んでくれました。桃子とはベタベタすることはないけど、振り入れとかで声を掛け合える関係。共に初めて選抜入りし

た蓮加は中学生とは思えないくらい堂々としているときもあれば、甘えてくるときもある。年は離れていますがよく話します。

これからも見守ってほしい

初選抜入りで、ずっと私を応援してくれているファンの方から「遠くに行ってしまった気がする」という声も届きます。でも、選抜は1つの目標だったけどゴールではない。今の私は目の前の初選抜としてのお仕事や、舞台（『七つの大罪 The STAGE』・8月3日〜12日 天王洲 銀河劇場、8月18日〜20日 梅田芸術劇場 シアター・ドラマシティ）でいっぱいで、次の大きな目標が何とは言えませんが、これからも一緒に夢を見てほしい。見守っていただけたらうれしいです。

『ジコチューで行こう！』は歌詞に「エゴサ」という言葉が入っていたり、間奏で「ダルマさんが転んだ」の振り付けがあったり、今までの乃木坂46の楽曲にはなかった斬新な1曲です。何を言われようと気にしない主人公が、カッコいいなと思いました。私は周りの声をすごく気にしちゃうタイプなんですが、歌詞のように自分らしくいられるようになりたいです。

『ジコチューで行こう！』のミュージックビデオはベトナムで撮影しました。スタッフさんに「自由に動いていいよ」と言われても、今までのクセでつい後ろに行ってしまいました。そんなとき、新内さんが「こっちにおいで」と声を掛けてくれて。私を気に掛けてくれて、お姉ちゃんみたいな存在なんです。

選抜メンバーの先輩方の振り覚えの早さには驚かされました。ベトナムに到着した日に振り入れしたんですけど、1回だけでパッとできて、翌朝からはもう撮影というスケジュールでした。しかも、みなさん見せ方が分かっているから、鏡を見ながら角度を決めて、すぐに自分ならではのモノにしていくんです。特に私の目の前で踊っているセンターの（齋藤）飛鳥さんの表現力に圧倒されました。

同期の阪口と佐藤に感謝

そしてカップリング曲『空扉』では、初めてセンターを務めさせていただきます。これからの自分にとって大切な曲になっていくはずなので、丁寧に歌っていきたい。この曲は劇場版『七つの大罪 天空の囚われ人』（8月18日公開）の主題歌で、私は舞台版『七つの大罪 The STAGE』に出演するので、いろいろな面から『七つの大罪』に関わることができてありがたいです。

7月6～8日の「真夏の全国ツアー2018」のスタートでもあった「6th YEAR BIRTHDA

Ｙ Ｌ Ｉ Ｖ Ｅ」は明治神宮野球場と秩父宮ラグビー場の2会場同時での開催でした。私は前の舞台（『美少女戦士セーラームーン』）もあってリハーサルにあまり参加できなかったので、不安で。昨年と同じ神宮だけだったらもう少し冷静でいられたかもしれないけど、秩父宮との行き来や、2会場の異なるステージが想像できなかったんです。現地リハーサルでなんとか把握して、自宅で立ち位置を書いたメモ帳とにらめっこして本番に臨みました。

『シンクロニシティ』のアンダーライブにも参加できていなかったので、ゼロから覚えないといけない楽曲が多かったけど、同期の阪口（珠美）や佐藤（楓）が丁寧にアドバイスしてくれました。2人にはすごく感謝しています。移動ですごくいっぱい走った感覚のライブだったけど、たくさんの曲数をパフォーマンスできて楽しむことができました。

これからは舞台『七つの大罪 Ｔｈｅ ＳＴＡＧＥ』の稽古や本番に集中する時期になります。全国ツアーにはナゴヤドーム（8月26、27日）からの合流になりますが、各都市でのライブは2会場の移動がないので、神宮と秩父宮とは違うセットリストになるはず。期待してください。

ベトナムでの『ジコチューで行こう！』のミュージックビデオ撮影は、私にとって初めての海外ロケでした。3期生の仲間がそろうと、海外でも笑いが絶えません。

#6
2018年
10月号

舞台『七つの大罪』のエリザベス役で〝自分らしく演じる〟ことを学ぶ

8月は舞台『七つの大罪 The STAGE』の東京公演(8月3日~12日、天王洲銀河劇場)、大阪公演(8月18日~20日、梅田芸術劇場)とともに過ぎていきました。今年は『星の王女さま』(4月)から乃木坂46版ミュージカル『美少女戦士セーラームーン』(6月)とずっと舞台が続いています。乃木坂46の全国ツアーは福岡公演(7月21日、22日)と大阪公演(8月4日、5日)を欠席させていただき、この舞台に集中しました。

『七つの大罪』は、エリザベス役のオーディションを受けるときにコミックとアニメを見て、ストーリーの奥深さにハマってしまいました。原作は少年誌で連載されている王道ファンタジーですが、成長や恋愛など女性も夢中になれる要素が詰まっているんです。

私にとっては、初めて乃木坂46のメンバーが周りにいない舞台でもあります。お芝居を中心に活動している方たちの中に入っていく怖さや不安もあったけど、オーディションで勝ち取った役なので、原作のファンの方を納得させる演技をしないといけないなって。

感情移入できたきっかけ

私が演じるエリザベスは王女様なのでお嬢様なんです。最初は自分とは全く違うと思って、「梅澤美波を0にしてエリザベスを100にしよう」と考えていました。だけど、演出の毛利亘宏さんから「その場で感じたことを出して、自分らしく演じたほうがいいよ」とアドバイスしてもらいました。私は演技の経験が少ないので、稽古のときから共演者のみなさんに助けてもらって迷惑をかけてばかり。エリザベスも戦いで仲間たちに守ってもらってばかりなので、そこは重なるなって。だから、まずエリザベスを守るために仲間が傷ついてしまうシーンは感情移入して演じることができました。

そこで、物語の前半は弱い部分を表に出して、仲間と出会って助けてもらったことが刺激になって変わっていく後半からはスイッチを切り替えて、芯の強さが出るように演じました。自分でコミックやアニメを何度も見て研究したのは、「お嬢様らしい走り方」。舞台では少し大げさなくらいのほうが、伝わりやすいと思ったんです。

今までの舞台では乃木坂46での私も応援してくださる

お客さんが中心でしたが、今回は共演する男性キャストのファンの女性が多かったのも初めての体験でした。だから客席からの反響にドキドキだったんですが、初日から拍手をいただいて、幕が下りたときには不安が吹き飛び、すごく達成感がありました。

ミュージカル『美少女戦士セーラームーン』の共演者の方も見に来てくださって、「エリザベスと美波は似ているね」と言っていただきました。原作ファンの方からの評判が気になって、ネットを見てみたら、「役に合っていた」という声が多くてうれしかったです。もしこの舞台の第2弾があれば、また絶対に出演してエリザベスを演じきっていきたい気持ちが強まっています。

乃木坂46のメンバーも見に来てくれました。(大園)桃子は、私が演技しているイメージが『見殺し姫』で止まっていて、「こんな難しい役を演じているんだ」と驚いていました。

久しぶりに同期たちと合流

『七つの大罪』の大阪公演後には、乃木坂46の全国ツアーに愛知公演から合流するので、リハーサルで久しぶりに3期生のみんなと顔を合わせたんです。始まる前にストレッチをしていたら、(佐藤)楓と桃子が前から話しかけてくれて、後ろから吉田(綾乃クリスティー)と(伊藤)理々杏が抱きついて、左腕に(阪口)珠美がしがみついてきて、みんな大歓迎してくれたんです。どこか懐かしい感覚になって、やっぱり同期はいいなと思いました。

『乃木坂工事中』では、初選抜入りした『ジコチューで行こう！』のヒット祈願ロケで、渓谷を目的のポイントまで下っていくキャニオニングに挑戦しました（8月5日、12日放送）。小学校のときに水泳は習っていたけど、自然の川はまた違った難しさがあって。でも、参加したメンバーが水が苦手な（齋藤）飛鳥さんと14歳の岩本（蓮加）の3人だったから、私がトップに行くしかないと、最初に滝からダイブしました。大きな滝は上からだと水面が見えないし、そもそも高所恐怖症なので本当に怖かったです。それに映像では伝わっていないんですけど、すごく寒かったんですよ。でも、初選抜のヒット祈願は人生1度だけなので、良い思い出になりました。

9月4日で、乃木坂46に3期生として加入してからちょうど2年になります。坂道合同オーディションで候補生のSHOWROOM配信が始まったと聞いて、自分のSHOWROOM審査のときの音声を久しぶりに聞いてみたら、すごくネガティブで弱々しくて。あの頃から自分はいい意味で変わることができたし、周囲を見渡して自分が何をすべきか分かるように成長できたと思います。2年前に悩んでいたことも今につながっているので、もしあの時の自分に会えたら「間違っていないよ」と伝えたいです。

舞台『七つの大罪 The STAGE』の共演者の方々は本当に演技が上手。実は、みなさんセリフにアドリブを入れてくるんです。最初は戸惑いましたが、日を重ねるごとに楽しく返せるようになりました。

#7
2018年11月号

念願だったランウェイ。様々な舞台も経験した〝今〟だから良かった

8月から9月にかけて、ライブ、舞台、ファッションイベントと、いろいろなジャンルのお仕事をしました。「真夏の全国ツアー」は、舞台『七つの大罪 The STAGE』が終わって、8月26日と27日の名古屋からの合流だったので不安はあって。初めて振り入れする曲が結構あったので、1対1でダンスの先生に教えていただきました。特に難しかったのは『涙がまだ悲しみだった頃』（3rdシングルカップリング、12年8月）。私が出られなかったアンダーライブで苦戦したと同期から聞いていたけど、想像以上でした。

名古屋公演の会場はナゴヤドーム（5万人収容）で、前日のリハーサルで会場の広さにビックリして。メンバーが楽曲と演出を決める「ジコチュープロデュース」企画で、私は『醜い私』を選んで秋元真夏さんと桜井玲香さん、西野七瀬さん、能條愛未さんと歌いました。3期生はかわいい感じの曲をいただくことが多いんですけど、私自身は大人っぽく見られがちなので、自分のイメージに寄せた『醜い私』（3rdアルバム収録）を歌ってみたいと思ったんです。

尊敬する先輩たちと5人だけのステージは心がぞわぞわしたけれど、いつも以上に気が引き締まりまし

た。『醜い私』のオリジナルメンバーである衛藤美彩（みさ）さん、斉藤優里さん、新内眞衣さんはどう思うのかなとすごく気になっていたんですけど、ＭＣで「次は一緒に歌いたいね」と言ってくださってうれしかったです。

重みを感じたセンター

『ハルジオンが咲く頃』ではセンターに立たせていただきました。卒業された深川麻衣さんのセンター曲ということで思い入れが強いファンの方が多いと思うので、すごく重みを感じました。3期生と『ハルジオン〜』を歌ったことはあるんですけど、オリジナルメンバーの中でセンターに立つのは意味が全く違うから、自分の中で不安がなくなるまで何度も練習して、本番は「堂々としよう」と肝に銘じてステージに立ったんです。

そして、私のセンター曲『空扉』も名古屋で初めてファンの皆さんの前で披露しました。「好きな曲」という声をたくさんいただいていたので、早くみなさんに直接届けたいと思っていたんです。3期生がフロントで、2列目と3列目に先輩たちが並ぶというフォーメーションは、いつもとは違う乃木坂46をお見せすることができたんじゃないかと思います。

9月1日と2日の宮城公演の会場は、ひとめぼれスタジアム宮城。空が見える屋外ライブは素敵だなと改めて思いました。ファンの方たちも開放的な気分になって、盛り上がることができたんじゃないかな。

2日目には新内さんのジコチュープロデュースでパートナーに選んでいただいて、『孤独兄弟』を歌いました。新内さんは初めて選抜になったときにすぐ連絡をいただいたり、食事にも誘ってくださる頼れる先輩で、最近は「姉さん」と呼んでいるんです（笑）。

衣装も新内さんが選んでくださって。ライダースにスキニーデニムという、乃木坂46では珍しいハード系。オリジナルは白石麻衣さんと橋本奈々未さん（17年卒業）の曲なので荷が重かったんですけど、「私たちの武器、スタイルを生かして、2人にしかできない『孤独兄弟』をやろう」と新内さんが話してくださったおかげでやり切れました。

9月2日のアンコールには6月末から活動を休止していた久保史緒里ちゃんが登場しました。予告なしでファンの方の前に立つのは怖いだろうし、「最後だけ出て申し訳ない」と話していたので、「そんなことは気にしなくていいから」と言って、久保ちゃんの横にずっといて。楽屋では与田（祐希）と吉田（綾乃クリスティー）を加えた4人でわちゃわちゃしていたんです。

9月16日には初めて「Ｇｉｒｌｓ Ａｗａｒｄ」のランウェイを歩かせていただきました。「Ｇｉｒｌｓ Ａｗａｒｄ」はずっと見てきた側だったんですけど、あの場所にはワクワクするような感動が詰まっているんです。

本職のモデルさんたちの中でウォーキングするという状況に、リハーサルからすごく緊張して。でも、乃木坂46メンバーと一緒のステージで、樋口（日奈）さんが手を握ってくれたので安心感がありました。

飛鳥さんに圧倒されました

一緒のステージに出たメンバーのなかでも、モデル経験が豊富な（齋藤）飛鳥さんのウォーキングには圧倒されました。会場の沸き方が違うし、飛鳥さん自身は信じられないくらい落ち着いていて、貫禄があって同じ年齢とは思えなかったです。

ランウェイを歩くと最高の景色が広がっていて。女性の方だけじゃなく、いつも握手会に来てくださる男性ファンの顔も見えて、晴れ姿を見に来てくれたんだなと思うとうれしくて温かい気持ちになりました。

加入当初から私にモデルのお仕事を期待してくださるファンの方も多かったので、焦っていた時期もあったけど、様々な舞台のステージも経験した今のタイミングで良かったと思っています。またランウェイを歩ける日が来るように頑張りたいです。

「Girls Award」での1コマです。本番に備えて1人で鏡を見ながらウォーキングの練習をして臨みました。いつか本格的なウォーキングのレッスンを受けてみたいです。

#8

2018年
12月号

22ndシングルで初の1列目。このタイミングで立つ意味を考える

11月14日に22ndシングル『帰り道は遠回りしたくなる』が発売になります。私は2曲連続で選抜に、しかも、今回は1列目を任されることになりました。そして、年内で西野七瀬さん、能條愛未さん、若月佑美さんが卒業します。乃木坂46にとって大きなターニングポイントとなるシングルなので、責任重大だなと感じています。

選抜発表では、3列目、2列目のメンバーが呼ばれた時点で「あぁ、ダメだったんだ」とあきらめていたので、フロントで呼ばれたときは体が震えました。感情より先に体が反応したというか。発表から1カ月以上たちましたが、今でも「うれしい」という感情は持てなくて、不安が大きいんです。

フロントメンバーを見渡すと、私はここに立つ結果を残せているのかなって。また、22ndシングルの活動期間ではないんですが、全国握手会のミニライブでは、お客さんの視線が、フロントポジションの資格があるのか問われているように感じてしまって、怖くて笑えない瞬間もあったんです。自分の弱さに気付きました。

身長の高さもあって弱気になってしまうこともあるけど、フロントに立つからには「堂々としていた

『失恋お掃除人』（19thシングルカップリング・17年10月）。
前に“美”が入っている。冠バラエティ『乃木坂工事中』やネット配信番組「乃木坂46時間TV」で軍団として活動した。

い」という気持ちもあります。「背が高い女の子はアイドルには向いていない」というイメージを変えたいし、「乃木坂46で新しい枠を開拓していく」という意気込みで取り組もうと思っています。

若月佑美の卒業報告に涙

『帰り道は遠回りしたくなる』のミュージックビデオを見て、初めて、「本当に、私は前にいるんだ」と実感が湧きました。このタイミングで私をフロントに選んでいただいたり、同期の（伊藤）理々杏と（佐藤）楓が初選抜入りした意味の1つは、卒業や加入で変わりつつあるグループの中で、3期生がもっと頑張らなきゃいけないということだと思うんです。西野さんと若月さんを感じながら、自分の色も添えていきたいですね。

若月さんが11月いっぱいで卒業されることはブログで知りました。「え?」と、もう一度読み直して、自然と涙が出てきたんです。直後に、若様軍団（※）の3人（山下美月、阪口珠美、梅澤）に若月さんからメールが来て、ようやく受け止めることができました。

※軍団長を務める若月佑美が、注目する3期生3人と結成したユニット。17年8月の仙台でのライブで結成発表。軍団楽曲は若月の持ちネタ「箸くん」より、山下美月はスプーン、阪口珠美はフォーク、梅澤美波はナイフを担当する。軍団員全員、名

加入して1年くらいの頃、自分が、行き詰まっているんじゃないかと悩んでいたときに、若月さんが若様軍団のメンバーとして私をピックアップしてくださったんです。若様軍団として楽曲をいただいたことで救われました。

その後も私を見守って、褒めてくれたり、励ましてくれることもありました。誰からも信頼されて、真っすぐでブレがない若月さんに見習うことはたくさんありました。卒業されても憧れ続けます。

そして、アンダーライブ北海道シリーズの千秋楽（10月5日）で能條愛未さんも卒業を発表されました。能條さんのことはずっと好きだったんですけど、なかなか話す機会がなくて。でも、乃木坂46版ミュージカル『美少女戦士セーラームーン』で同じセーラージュピター役になって、一気に話せるようになったんです。能條さんのお芝居に刺激を受けたし、場を明るくする力がうらやましいと感じていました。

西野さんも若月さんも能條さんも、卒業発表されてすぐは「悲しい」「やめないでほしい」と思ったけど、それぞれの目標を胸に乃木坂46を旅立っていくので、今は笑顔で見送りたい。3人が卒業した後の乃木坂46を支えられるような存在になりたいと思っています。

11月16日からは乃木坂46、欅坂46さん、けやき坂46さんが合同で出演する舞台、『ザンビ』が始まります。「日本一怖い体験型舞台」というキャッチフレーズにふさわしい作品になると思います。TEAM〝BLUE〟の6人（梅澤、久保史緒里：乃木坂46、菅井友香、守屋茜：欅坂46、柿崎芽実（めみ）、加藤史帆（しほ）：けやき坂46）はみんな口数は少ないですが、負けず嫌いがそろった感じです。6人でお話をしたときに「いいチームになる」と確信しました。

今年は舞台漬けで一気にお芝居が好きになったんです。9月に『美少女戦士セーラームーン』が終わって「しばらく舞台のお仕事はないんだ…」と心にポッカリ穴が開いたような気持ちになっていたので、また舞台に立てることが純粋にうれしいです。

舞台での経験を共有したい

一方で、出演する坂道メンバーのなかで、アイドルとしては私と久保が1番後輩なのですが、舞台は私が1番多く出ているので、プレッシャーもあるんです。欅坂46さんのお2人はお芝居が初めてだし、私がチームを引っ張っていきたいという気持ちはあって。まずは舞台での自分の経験をみんなで共有できたらいいですね。

今まで出演してきた舞台では、まず自分と役柄が重なる部分を見つけて広げていったけど、『ザンビ』は非日常のシチュエーションだから、ゼロからの役作りが必要なのが難しい。ホラーだからこそリアルな演技でないと、みなさんをストーリーに引き込めないと思うので、いい演技を見せられるように頑張ります。

『帰り道は遠回りしたくなる』のミュージックビデオ撮影時の1コマです。初選抜入りした理々杏と楓とは喜びを分かち合いました。3期生が集まるといつもにぎやかになります。

歌番組の『シンクロニシティ』が自信に

2018年最後の連載ということで、この1年の活動を振り返っていこうと思います。18年は卒業される先輩たちが多かったので、私たちの世代が安心できるパフォーマンスやたたずまいを見せることで、「乃木坂46はこの先も大丈夫だ」と思っていただけるように頑張ってきました。

17年の年末に『NHK紅白歌合戦』で乃木坂46全員で『インフルエンサー』（17thシングル）を披露しました。私にとって初の『紅白』で、年明けの瞬間にはメンバーと輪になってジャンプしました。「映像で見ていたシーンだ」と感慨深かったです。

年初に考えたのは、17年は3期生全員で一緒の活動が中心だったけど、18年はきっと個人での活動が中心になってくるはずということ。あの頃は自分に「3期生のまとめ役」というイメージしかなかったので、早く自分ならではの個性や立ち位置を見つけなくてはいけないと焦っていました。

最初はプレッシャーでした

4月からこの連載が始まりました。卒業された生駒（里奈）さんの連載を引き継ぐと聞いて、喜び以上

にプレッシャーを感じて。生駒さんとは言葉を交わす機会は少なかったけど、私が悩んでいると連絡をくださって、そのメッセージが私の励みになりました。私はしっかり者だと思われがちなんですが、自分のことを生駒さんが理解してくれているということが心の安定剤になっていたんです。

日本武道館で開催された生駒さんの卒業ライブ（4月）では、生駒さんと3期生全員でAKB48さんの『初日』を歌いました。あのときに、生駒さんは3期生1人ひとりとしっかり目を合わせてくれたんです。華奢な体から放たれるオーラに圧倒されました。あの日のことは忘れられません。

18年の私の最大のターニングポイントは『ミュージックステーション』で披露した『シンクロニシティ』です（5月）。卒業された生駒さんのポジションに星野（みなみ）さんが入り、星野さんのポジションである3列目のセンターに私が入って、初めて選抜メンバーとして歌番組でパフォーマンスすることができました。「私でいいのかな」という怖い気持ちもあったけど、ポジティブに考えて、必死に自主練習しました。本番ではその成果が出せたし、自信につながりました。

『ジコチューで行こう！』で初めて選抜メンバーに入れていただいたものの、自分の実力不足に落ち込む毎日でした。先輩たちは振り覚えが早いし、歌番組でカメラに抜かれたときの顔が常にきれいで、バラエティ番組では言葉のチョイスが的確なんです。全然追いつけなくて必死でした。

7月から9月にかけては恒例の「真夏の全国ツアー」がありました。今年は会場規模がドームやスタジアムに拡大したぶん、後ろの席のファンの方にも届くようなパフォーマンスを磨かないといけないと気を引き締めました。

その後の握手会で、身長が高いから「大会場でも見つけやすかった」と言ってもらえることが多かったのはうれしかったです。どの席も「神席」にしたいので、「目が合った」と思っていただけるように、なるべく見上げています。ライブに来てくださった全員に「最高の日だった」と思ってほしいんです。

年明けには思ってもみませんでしたが、今年の私は連続して舞台に出演させていただきました。3期生8人による『星の王女さま』（4月）から始まって、6月と9月には先輩たちに囲まれて乃木坂46版ミュージカル『美少女戦士セーラームーン』に出演。8月の舞台『七つの大罪 The STAGE』では乃木坂46のメンバーがいないなかでのお芝居になりました。段階を踏みながら経験を積めたことが良かったと思います。11月には、乃木坂46、欅坂46、けやき坂46の合同舞台『ザンビ』に参加しました。

『七つの大罪』はオーディションでつかんだチャンスでした。乃木坂46からは私だけだから、ファン以外の方に、乃木坂46に興味を持っていただけるきっかけになるはずと思って、いつも以上に力が入りました。『ジコチューで行こう！』での初選抜の時期と重なっていたので大変でしたが、成長できたと実感しています。

初めての舞台『3人のプリンシパル』（17年2月）では苦戦して、「自分はお芝居に向いていないんじゃないか」と思っていました。だから、18年にこんなに多くの舞台を踏むことになって、ずっと悩んでいた自分の〝個性〟につながるなんて予想外で。自分の可能性に気がつくことができて、今ではお芝居が大好きになりました。

すべての努力はつながる

この1年は、無色だった私にいろいろな方が色をつけてくださった期間だと思っています。握手会で「『七つの大罪』で私のことを知って初めて来た」と言ってくださる方もいて、すべての努力や活動はつながっていくんだなと実感しています。人生で1番濃い1年になりました。

この年末も『紅白』に出演させていただくことになりました。西野（七瀬）さんにとって卒業前の最後の歌番組でもあります。西野さんに安心してもらえるように堂々とステージに立って、この1年の成長を見せることができたらいいなと思っています。

（右）初めてセンターに立たせていただいた『空扉』のミュージックビデオ撮影時の1枚です。（左）「真夏の全国ツアー」では3期生で円陣を組みました。

若月さんから「乃木坂の華になる」という言葉をいただきました

2018年のラストスパートは、舞台『ザンビ』（11月16日～11月25日）、上海での単独公演（12月1日）、若月佑美さんの卒業セレモニー（12月4日）と、感情が揺れ動くイベントが続きました。

『ザンビ』は乃木坂46、欅坂46、けやき坂46による合同の舞台でした。稽古に全員そろう機会が少なかったし、お客さんと一緒に「体感」する演出だったので、現場に入らないと分からないことがたくさんあって、本番が始まるまで不安が大きかったです。

出演者6人のなかで舞台経験がある私が引っ張っていかないといけないと思いつつ、そんな実力がついてきているんだろうか、という矛盾した気持ちも抱えていました。でも、アイドルとしての先輩後輩は気にせずに、稽古では、思ったことは恐れず口に出すようにしたからこそ、みんなと気持ちを共有できたし、新しい私に出会えたような気がしました。

それでも、舞台初日の映像を見たら「まだ伝わっていないな」と感じて、遠い席のお客さんにも、恐怖心を与えるような見せ方を試行錯誤しました。私が演じた　之瀬杏奈は、過去のトラウマから記憶を失っていて、現在の不安定な気持ちと元気だった頃を切り替えながら演じることが難しくて。

セリフが少ない序盤に苦戦

序盤は杏奈のセリフが少なく、動きだけで感情を表現しなくてはいけなかったのも苦労したところです。杏奈の人生に思いを馳せながら、1つひとつのセリフに感情を乗せていきました。同じチームの久保（史緒里）とは「私たちは過去にこんな遊びをしていたんじゃないか」とか、台本には書かれていないストーリーまで想像して、2人で泣いていました。久保は自分と感性が似ているし、演技力を高め合える相手なんです。

これまでの舞台は、共演している方たちに身を委ねていた部分もあったけど、今回は「私が引っ張らないと」と思いながら動きました。大変でしたがそのぶん、成長できた気がするし、さらにお芝居が好きになれたんです。

上海メルセデス・ベンツアリーナでのライブは、乃木坂46にとって初の海外単独公演でした。日頃の握手会で、中国か

ら来てくださる方も多いので、いつか私たちから会いに行きたいと思っていましたが、現地の熱気は想像以上で、日本で売っている推しタオルを持って、日本語でコールしてくれるんです。私も中国語で自己紹介できるように勉強したんですけど、発音が難しくて思うようにいかなくて。それでもステージで中国語を話したときに「みなみーん」とお客さんたちが反応してくれたんです。たくさんの優しさをもらったライブになりました。

乃木坂46の歴史に刻まれるであろうライブに参加できたことが、すごくうれしかった。私たちがアジア各国に足を運ぶことで、乃木坂46を好きになってもらって、日本に来てくれたらいいなと思います。1月27日に予定している台北でのライブも楽しみです。

若月佑美さんの卒業セレモニー（日本武道館）は感動的なイベントになりました。若月さんの卒業は「11月末まで在籍」という発表だったので、若様軍団（若月、梅澤、阪口珠美、山下美月によるユニット）の『失恋お掃除人』はもうライブで歌えないんだ、と心残りだったんです。だけど、セレモニーが開催されることになって、セットリストに『失恋お掃除人』を見つけたときは、本当にうれしかったです。

曲中では、若月さんから3人それぞれにメッセージをいただいて驚きました。3人のことを本当に考えてくださっていたんだなと実感する言葉で、私は「乃木坂の華になる」と言っていただいて。その言葉を胸にこれからも頑張りたいです。

若月さんが読まれたファンの方への手紙に「誰かに影響を与える人になりたい」という言葉がありまし

た。若月さんの舞台を見に行ってどっぷりハマった私のように、影響を受けた方はたくさんいるんじゃないかと思っています。手紙を読んでいる若月さんを後ろから見ていたら、涙が止まらなくなってしまいました。

アンコールで、若月さんからガーベラの花を、1人ずつ手渡されたときは、「最後まですてきな人なんだな」と、また泣いてしまいました。笑顔で見送りたかったんですけどね。最後は笑顔で「幸せでした」とおっしゃっていましたが、1つひとつの仕事に対して誠実に取り組んでいたから、たくさんの人に愛されたんだと思います。私も若月さんの姿勢を見習いたいと思いました。

先輩の教えを4期生に継承

卒業セレモニーの日、4期生に初めて会ったんです。既に乃木坂46らしさのあるたたずまいでした。泣きそうに緊張しながら自己紹介をしている姿が、2年前の自分を見ているようでした。まだ胸を張って先輩とは言えないけど、乃木坂46を背負ってきた生駒（里奈）さんや若月さんに直接会っていない世代の4期生に、少しでも先輩たちの教えを伝えられたらいいなと思っています。

卒業コンサートではなくて、「卒業セレモニー」だったのが若月さんらしいなって。初めての『ミュージックステーション』出演や、選抜入りのときなど、掛けてくださった言葉すべてが宝物です。

#10
2019年
3月号

〝選抜の楽曲で『レコ大』大賞3連覇〟という次の目標ができました

昨年12月30日に乃木坂46は『日本レコード大賞』の大賞を2年連続で受賞させていただきました。2017年はテレビで見て、泣いていたんですけど、1年後に自分がそのステージに立てるなんて光栄でした。本番前からみんなの気持ちが高まっていて、「絶対に今年も大賞を取りたい」という空気ができあがっていました。

大賞が決まった瞬間はもちろんうれしかったんですけど、先輩方とは少し違う思いだったかもしれません。受賞曲『シンクロニシティ』は、私は選抜メンバーではなく、今回は卒業された生駒（里奈）さんのポジションで出演させていただきました。どこかで「私でいいのかな」、「生駒さんのような輝きが放てているのかな」という迷いがあったんです。でも、今年は自分のポジションの楽曲で、乃木坂46が3連覇できたらいいなという目標ができました。

そして大みそかの『NHK紅白歌合戦』は、17年に初めて出場させていただいたときの緊張感を思い出して、「当たり前じゃない」場のありがたみを感じました。パフォーマンスした『帰り道は遠回りしたくなる』はオリジナルのポジションの楽曲だし、西野（七瀬）さんにとって最後の歌番組だから、最高のパフォーマンスをしようと心掛けました。

DA PUMPさんの『U.S.A.』にも参加させていただいたんですけど、リハーサルからメンバーと「最高だね!」と話すくらい楽しくて。本番ではお客さんが「いいね」ポーズのウチワを振っている光景を見て、リラックスして踊ることができたんです。

20歳の誕生日は握手会

お正月はお休みをいただいて、1年ぶりに実家に帰りました。家族と一緒に、ひたすらのんびりと過ごしました。地元の友達とも久しぶりに会いましたが、乃木坂46に入る前と変わらずに接してくれるんです。私はたまたま表に出るお仕事をしているだけで、同じ年の社会人や学生の友達と悩みは同じなんだなと感じました。

1月6日には20歳の誕生日を迎えました。その日は大阪で握手会だったんですけど、昨年の誕生日も握手会で、そんな偶然が2年も続くなんて幸せです。ファンの方からたくさんの「おめでとう」をいただいて、スタッフの方とメンバーからはケーキをいただきました。同期の佐藤楓と向井葉月と阪口珠美は12時ピッタリにホテルの部屋に来て、祝ってくれました。

今年は演技力を伸ばすのが目標の1つなので、1月は先輩が出演されている舞台をたくさん観劇させていただきました。特に圧倒されたのは、生田絵梨花さんの『ナターシャ・ピエール・アンド・ザ・グレート・コメット・オブ・1812』。セリフがほとんどなくて、全編が歌なのにすごく感情が伝わってきました。私は舞台『七つの大罪 The STAGE』でボイトレを受けたときに「感情が平坦すぎる」と言われてしまって悩んでいたんです。生田さんの歌は、聴いたらこちらが震えるほどで、終演後は放心状態になるくらい。すごくいい勉強になりました。

生駒さん主演の『トゥーランドット ～廃墟に眠る少年の夢～』は、「演劇で世界を変える」というテーマが心に響きました。観客全員に向かっているはずなのに、私だけに言葉を投げかけてくれているように感じるんです。なにより生駒さんがカッコよすぎました。ステージではオーラを放っていて大きく見えるんですよ。

1月11日には乃木神社で、齋藤飛鳥さん、伊藤純奈さん、佐々木琴子さん、鈴木絢音さん、寺田蘭世さん、田村真佑ちゃんと成人式を行いました。期を超えて、同じ学年のメンバーが集まるイベントは初めてだったんです。

「少しでも緊張が和らげば」と4期生の真佑ちゃんに話し掛けました。真佑ちゃんもたくさんしゃべってくれてうれしかったです。

1月は20歳の誕生日と成人式という、大人になったことを実感するイベントが続きましたが、急に何かが変わったわけではなく、子どもの頃に抱いていた20歳のイメージと今の自分はだいぶ違いますね（笑）。19歳の1年があまりに密度が濃かったので、今年は昨年学んだことが生かせるお仕事をじっくり探していきたい。昨年を超える1年にしたいです。

自分に似ている設定に驚き

1月23日からドラマ『ザンビ』（日テレ系）の放送が始まりました。私が演じる木内加奈は、（山下美月が演じる）金村優衣に従ういじめっ子グループの1人で、やると決めたら即行動するタイプ。お姉ちゃんと比較されてコンプレックスを抱いているという設定が、私の学生時代と似ていてビックリしました。

昨年は舞台をいろいろ経験させていただいて、今度は悪役を演じてみたかったんです。だから、ちょっといじめっ子役の『ザンビ』は、いい経験になりました。今後はさらにもっと悪い役にも挑戦してみたいと思っています（笑）。『ザンビ』はいつも一緒にいる乃木坂46のメンバーとのお芝居だからこそ、緊張せずに演じられました。毎週「次はどうなるんだろう」と気になる台本なので、多くの方に見ていただけるとうれしいです。

『日本レコード大賞』大賞はファンの方からの「期待している」という声が届いていたので、プレッシャーもありました。受賞させていただいて、うれしさと同時にちょっとホッとした気持ちもありました。

#11

2019年4月号

3度目で初めて「BIRTHDAY LIVE」と本気で向き合った気がします

今は「7th YEAR BIRTHDAY LIVE」（2月21日〜24日・京セラドーム大阪）のリハーサル真っただなかです。4日間で177曲を全曲披露すると聞いて驚きました。昨年は全曲披露ではなかったし、一昨年は加入したばかりで出演曲数が少なかったので、今年は初めて全曲披露の「BIRTHDAY LIVE」と本格的に向き合っています。

3期生は卒業された先輩方のポジションに入ることも多いので、1曲ごとにその責任をかみしめながらリハーサルをしています。初めて振り入れする曲もたくさんあって、特に苦戦しているのは『嫉妬の権利』（13thシングルカップリング、15年10月）です。3期生はあまり歌ってこなかった大人っぽい雰囲気の曲なので、憧れていました。でも、すごく細かい心情を振りで表現しなくてはいけないので、先輩から教えてもらいながらパフォーマンスを磨いています。

加入したばかりの4期生とは通しのリハーサルから一緒になりました。地に足がついていなかった私たち3期生の加入時に比べると、4期生は堂々としている印象があります。でも、新内（眞衣）さんには「3期生も最初から堂々としているように見えたよ」と言っていただいたので、もしかしたら4期生もす

ごく緊張しているのかもしれません。今回のライブを通して仲良くなれればと思っています。

たまらなくかわいい4期生

『乃木坂工事中』での「4期生売り込みショー」では、（齋藤）飛鳥さんとペアになって金川紗耶ちゃんを紹介しました。紗耶ちゃんはパッと見はクールな子なのかなと思ったけど、打ち合わせで「面白くしたいです！」と言ってくれて。4期生はみんな人懐っこくて、目が合うと「ニコッ」としてくれるのがたまらなくかわいいんです。

AKB48さんのシングル『ジワるDAYS』（3月13日発売）ではカップリングに2曲も参加させていただいています。まず、坂道AKBの曲は各グループの若手選抜で、乃木坂46からは3期生5人が集まっています。他の4人（大園桃子、久保史緒里、山下美月、与田祐希）は昨年の『国境のない時代』にも参加していたんですけど、私は初めて選んでいただきました。坂道AKB

に抱いていた「クールな衣装でカッコいい曲を歌う」というイメージからガラッと変わって、今回は明るいアイドルソングで衣装もかわいらしいんです。

大好きなＡＫＢ48グループさんと、特に推しのチーム８・岡部麟（りん）さんと一緒にお仕事ができるのがうれしいのですが、みなさんの振り覚えのスピードには驚きました。岡部さんもすぐに振りを覚えて、鏡の前で自分ならではの見せ方を研究することに時間をかけている。本当にすごいなって。

名字に同じ「梅」が入っているＮＭＢ48の梅山恋和（ここな）ちゃんとも話すことができました。めちゃくちゃかわいいと思っていたら、「写真を一緒に撮ってください」と声を掛けてくれたんです。

それからＩＺ ４６４８の『必然性』では、柏木由紀さんや指原莉乃さんら豪華なメンバーの中に入れていただきました。私の名前を見つけたときに間違いだろうと思ったくらい。最初は、うれしさよりも「大丈夫かな？」という気持ちのほうが大きかったです。

この曲で１番刺激を受けたのが、（チャン・）ウォニョンさんと宮脇（咲良）さんのＷセンターの２人。『ＦＮＳ歌謡祭２０１８』（18年12月）の初披露では、ダンスがキレキレなうえにピッタリそろっていて、体のラインの見せ方もうまいし、カメラに抜かれた一瞬で目を奪われるような表情ができる。後ろから見ていて「カッコいいな」と感心しました。

同期の久保史緒里と一緒に、「サギ撲滅キャンペーン」で横浜市の小学校を訪問しました（1月30日）。事前に送っていただいた資料を頭に入れて、本番前に久保と「小学生のみなさんにも分かりやすく」と打ち合わせをして臨みました。クイズ形式で特殊詐欺の実態や防止策を学んでいったのですが、壇上に上がったら「乃木坂46だ！」とすごく盛り上がって、私推しの子までいてくれたんです。不安もありましたが、乃木坂46が幅広い方々に応援していただいていることを実感する機会になりました。

寂しい衛藤さんの卒業発表

1期生の衛藤美彩さんが2月14日に卒業を発表しました。「BIRTHDAY LIVE」のリハーサル中に衛藤さんからメンバーに報告があったのですが、私は実感が湧かなくて、しばらくボーッとしてしまったんです。

衛藤さんからは学ぶことがたくさんありました。楽屋で舞台のセリフを何度も確認している姿をよく覚えています。それに、ファンの方をとても大切にされているんです。私もファンの頃に衛藤さんと握手したことがあるんですけど、数秒間なのにしっかり目を見て感謝の言葉を伝えてくれて感動しました。美容関係の仕事を2人でさせていただいたり、「美波はお姉さん役ならではの、大変なこともあると思うけど…」と気にかけてくださったこともあります。だから、卒業はすごく寂しいです。

IZ4648でのオフショット。『FNS歌謡祭2018』の映像は何度も見直しています。もっとできたかなと反省する部分もあるけど、私の大きな自信になりました。

#12
2019年
5月号

女性誌専属モデル決定。「乃木坂46を好きになる入り口になりたい」

衛藤美彩さんの「卒業ソロコンサート」（3月19日）に、アンコールで2曲参加させていただきました。出番までは楽屋のモニターでステージを見ていましたが、いつもは20人ぐらいでパフォーマンスしている曲を1人で歌い続ける姿に、すごいなって感動しました。特に、3期生の楽曲、『思い出ファースト』（3rdアルバム収録）を歌ってくださったことがうれしかったです。

衛藤さんは2時間近くのライブをセットリストから演出まで自分で考えて、1人で歌い上げて、最後までファンの方たちを楽しませようという思いが伝わってきました。ファンの方たちにとっても幸せな時間になったと思います。

その直後の「CDTVスペシャル！卒業ソング音楽祭2019」（TBS系、3月21日）は、衛藤さんや、すでに卒業された西野（七瀬）さんがいないメンバーで『サヨナラの意味』（16thシングル、16年11月）と『帰り道は遠回りしたくなる』を披露したのですが、先輩たちの存在感の大きさを実感しました。西野さんに代わって『帰り道は遠回りしたくなる』でセンターに立った同期の与田（祐希）は、周りには弱い姿を見せないようにしていたものの、相当なプレッシャーを感じていたはず。側にいてあげたいと思

いました。

すてきな楽曲を受け継ぎたい

「7th YEAR BIRTHDAY LIVE」（2月21日〜24日）でも卒業された先輩のポジションに3期生が入ることが多くて、ずっと乃木坂46を応援してくださっているファンの方はいろいろな思いがあったと思います。私もファンの時代があったからこそ、「オリジナルメンバーを大切に」という気持ちはよく分かるんです。

でも、乃木坂46のすてきな楽曲たちが、先輩の卒業により、誰にも歌われないまま埋もれていってしまうのは寂しいなって。後輩として受け継いでいきたいという強い気持ちがあります。私は卒業された先輩になることはできないから、曲の世界観をよく理解して尊重しながら「自分らしさ」も出して、新しい形を見せていきたいです。私たち3期生はそうした熱い気持ちでステージに立っているということを、パフォーマンスを通して伝えていければと思っています。

「7th YEAR BIRTHDAY LIVE」では、3日目（2月23日）にセンター曲『空扉』で気球に乗って会場を一周するという体験をしました。すごく高くまで上がるのでドキドキしましたが、

「どの席も神席にする」という気持ちで手を振っていました。その後の握手会で「最上段の席だったけど、『空扉』では視線が合ったよね」と多くの方に言っていただけて、気持ちが伝わって良かったです。

4月17日には4thアルバム『今が思い出になるまで』が発売になります。リード曲『ありがちな恋愛』は、仮歌を聴いた瞬間から好きになりました。『きっかけ』や『スカイダイビング』（3rdアルバム収録）など、これまでのアルバムのリード曲も「乃木坂46らしさ」を感じさせる作品が多かったけど、今回の『ありがちな恋愛』も本当にいい曲なんです。日常を暮らしているなかでふと思うことを描いた歌詞も好きで、長く愛される曲になる予感がします。

アルバムの収録曲では『逃げ水』に思い入れが深くて、聴くと当時の感情がよみがえってくるんです。3期生から（大園）桃子と与田が初めて選抜に入ってセンターを務めた曲で、その時期は3期生のみんなが葛藤しながら頑張って、それぞれ意識が変わりました。だから、今でも『逃げ水』を聴くと気持ちがシャキッとするんです。

小林由依さんと一緒に撮影

この春からファッション誌『ｗｉｔｈ』の専属モデルを務めさせていただくことになりました。乃木坂46に加入する前は、1人の読者として1ページにいっぱい情報が詰まっているのが好きで、ファッション誌をよく見ていたんです。

ファッション誌の撮影は、グラビアとは違った楽しさと難しさがあります。例えば「ＯＬの出勤前」というテーマに沿って、あとは「自由に動いてください」と言われることが多くて、演技の要素もありつつ、自分だけではなくてお洋服もしっかり見せなくてはいけないのが難しくて。撮影後は反省も多いです。『ｗｉｔｈ』専属モデルの先輩で、欅坂46の小林由依さんと一緒に撮影させていただいたときはすごく勉強になりました。２人でたくさんのカットを撮影したんですが、小林さんはすてきな表情のバリエーションがすごく豊富なんです。

専属モデルは加入当初の目標の1つでした。「高い身長を生かして乃木坂46に貢献したい」と思ったからです。でも、そんな簡単なことではないとすぐに分かって、昨年は舞台に真剣に向き合ったり、まずは目の前のお仕事に集中するようにしていました。そんなタイミングで専属モデルのお話をいただいたので、聞いた瞬間はすぐには信じられなくて頭がフワフワしてしまいました。

私自身、『Ｒａｙ』で白石（麻衣）さんを知って、乃木坂46を好きになったので『ｗｉｔｈ』で私を知って、乃木坂46に興味を持ってくれる方が増えたらうれしいですね。

「7th YEAR BIRTHDAY LIVE」の3日目は『Overture』の後に3期生の『三番目の風』（17thシングルカップリング）で幕を開けました。同期とのパフォーマンスは伸び伸びとできるし、みんなの楽しそうな顔が好きなんです。

#13

2019年6月号

フロントから2列目の『Sing Out!』は頑張りどころと思っています

23rdシングル『Sing Out!』(5月29日発売)の選抜メンバーが発表されました。今回は選抜の2列目の1番下手(※1)のポジションに選んでいただきました。選抜発表の張りつめた空気は、何回経験しても慣れないですね。どんなポジションでも受け止めようと思いながらも、感情の整理ができなくなっていくんです。いつも数時間たってから頭の中を整理しています。

今回もそうでした。発表のときは、2列目の1番上手が(1期生の)桜井(玲香)さんと聞いて、「初めて先輩とシンメトリーになるポジションだ」と驚きました。その後、時間をかけて今回のポジションの理由を考えました。

フロントに立たせてもらった前作(『帰り道は遠回りしたくなる』)の期間、結局は何もできずに終わってしまったという後悔があります。乃木坂46としては2度目の「日本レコード大賞」大賞受賞や、4年連続の『NHK紅白歌合戦』出場、先輩たちの卒業など大きな出来事が続いたなかで、「自分ならではの強みを発揮できただろうか」と疑問が残っているんです。自信があるように振る舞わないといけないと思っていても、つい縮こまって膝を曲げるクセが無意識に出てしまうこともありました。フロントから2列

※1 しもて。客席から見て左側。右が上手(かみて)

目になったことにマイナスな気持ちはないけれど、頑張りどころだと思っています。

珠美の初選抜がうれしい

今回のシングルは私も含めて、3期生が8人も選抜に入りました。初選抜となった同期の（阪口）珠美は「熱い」メンバーなんです。乃木坂46への愛が強くて、パフォーマンスへの向上心が高い。私が『インフルエンサー』の振りで苦戦して泣いたとき、珠美からのメッセージに励まされたこともありました。珠美は本来の輝きをまだテレビでは出せていないと思うので、今回をきっかけにその熱量が多くの方に伝わればいいですね。

『Ｓｉｎｇ Ｏｕｔ！』は心が温まるような曲で、聴くと元気がもらえる作品になっていると思います。ミュージックビデオの撮影時には監督から「世界中の女性たちを乃木坂46が引っ張っていくイメージで」と言われたんです。それくらい壮大で、みんなで合唱できるような楽曲じゃないかと感じました。

振り付けは『インフルエンサー』や『シンクロニシティ』を担当されたSeishiroさん。全身をしなやかに使ったダンスは大好きなんですけど、まだ自分の手足の可動範囲を理解しきれていない私にとっては難しくて…。克服して、今年の目標の1つである「表現力を高める」ことを達成したいと思っています。

後輩の4期生が4月9日から21日まで、舞台公演『3人のプリンシパル』（※2）を開催しました（東京・サンシャイン劇場）。私も見せてもらったんですけど、2年前に私たち3期生が同じ公演に挑んだときのことを思い出しました。

ただ、私たちとは違いもあって。3期生はその日ごとに変える自己アピールが第2幕進出の鍵になっていたけど、4期生はお芝居のみで、ストイックに演技力で評価される仕組みになっていたんです。移動中も真剣に台本を読んでいる4期生たちの姿を見ていたので、第2幕に「選ばれる」「選ばれない」という場を目の当たりにして心が苦しくて。でも、公演中の楽屋に行ったら、みんなが想像以上に明るく生き生きしていて、メンバー同士で支え合っているんだろうなと安心しました。

個人的に気になったメンバーは矢久保美緒ちゃんです。第1幕で美緒ちゃんが発したセリフに心を打た

全国握手会でのスナップショットです。ちょっとした時間も同期で集まってわいわいしています。個握とは違った空気感がすごく好きで、いろいろな出会いがあって毎回楽しいです。

※2 第1幕の演技や自己アピールから、第2幕に出演するメンバーが観客の投票により決定する、乃木坂46伝統の公演

れて泣いてしまいました。普段は両手をグーに握っておどおどしているイメージなのに、舞台では太い声で堂々と演技している。そのギャップに引かれてしまいました。それに、美緒ちゃんからは「メンバーが好き」という気持ちが伝わってくるんです。選ばれた他のメンバーに、笑顔で抱きついて祝福している姿に、優しい子だから本当は争いたくないんだろうなと思いました。

4期生たちが頑張っている姿を見て、私も『ザンビ』以来、少し離れてしまっている舞台をまたやりたいという気持ちが強まりました。

ラジオでトーク力をアップ

4月から、新たにラジオ番組『乃木坂の「の」』（文化放送）のMCも務めています。メンバー3人だけで進行する番組なのでホーム感があるんです。以前にゲストとして出演させていただいたときは、MCの（渡辺）みり愛さんが私のキャラクターをすごく上手に引き出してくださいました。今度は私が4期生などのメンバーが話しやすい雰囲気を作れればいいなと思っています。スタッフさんからは「自分の番組だと思ってほしい」と言っていただいたので、リラックスしながら自然体の梅澤美波も出していきたいです。

ラジオは声だけで伝える難しさはあるけれど、乃木坂46を身近に感じてもらえる機会ですし、まだ深い話をしたことがない先輩方との交流のきっかけにもなると思うと、楽しみで仕方ありません。鍛えたMCはライブでも生かしていきたいです。

#14

2019年7月号

『Sing Out!』ではみなさんと一緒にクラップで一体感を感じたい

5月29日に23rdシングル『Sing Out!』が発売されて、この連載の制服衣装の写真も新しくなりました。落ち着いた感じで、ネクタイとリボンの2パターンがあります。年齢というよりは、大人っぽいかどうかで、どちらか決まるみたいで、私はネクタイになりました。私自身もリボンよりネクタイのほうが似合うと思っています。

この曲の歌衣装のほうは、アクセサリーがゴツゴツしていて〝戦う女性たち〟という印象です。今までとは違うなと感じました。アクセサリーにも種類があって、こちらは自分たちで選べるんです。私が悩んでいたら、憧れの白石（麻衣）さんが、「これがかわいいよ」と、ご自分とおそろいのアクセサリーを手にして勧めてくださって、とてもうれしかったです。

『Sing Out!』は今までの乃木坂46の曲とは違って「新しいな」と感じるところがいっぱいあります。「ラララララ…」と合唱のように始まったり、クラップ（手拍子）が入ったりして、まずはメロディーのテーストが違うなって思いました。でも、1番注目してほしいのは歌詞のスケールの大きさです。

今までの乃木坂46の曲の歌詞は、しっかり世界観が設定されたなかで、「主人公がいる」ことが多かったと思います。でも、20thシングルの『シンクロニシティ』で「世界中の人が／誰かのことを思い浮かべ」と初めて「誰か」に向けて歌って、『Sing Out!』ではその世界がもっと広がったと感じています。

2番の歌詞も聴いてほしい

この曲の歌詞では、「ここにいない誰かのために／今なにができるのだろう」というフレーズがすごく好きで。メンバー同士のことかもしれないし、ファンの方なのか、まだ会ったこともない誰かのことかもしれない。聴く方によっていろいろな感じ方ができるんです。

歌番組ではフルサイズで歌わないことも多いですが、「ここにいない誰かもいつか／大声で歌う日が来る」という、2番の歌詞も心に刺さるんですよ。だから、歌番組で「フルサイズで聴きたい」と思ってもらえるようなパフォーマンスをすることで、ライブやCDなどで多くのみなさんに、すべての歌詞を聴いていただければうれしいです。

今はまだ本番直前なのですが、『Sing Out!』発売記念選抜ライブ（5月26日、横浜アリーナ）が、この曲を初めてファンのみなさんの前で披露する場になりそうです。いつもは、〝コール〟で応援してもらっていますが、この曲では、みなさんに一緒にクラップしてもらって、一体感が出せるといいな、と思っています。

振りで、みんながポーズをとって止まっていて、白石さんと生田（絵梨花）さんがセンターの（齋藤）飛鳥さんに手を差し伸べると、他のみんなが振り向くところがあるんです。そこでは私も「誰かが落ち込んでいたら、手を差し伸べたい」という気持ちを込めています。

バラエティのMCを勉強中

『乃木坂工事中』のシングルヒット祈願では、井上（小百合）さんと新内（眞衣）さん、（大園）桃子との4人で鹿児島を訪れました。「ハッピーを届けに行く」というテーマで幼稚園やフラダンス教室にお邪魔したんですけど、スカイダイビングに挑戦した班もあるなか、私たちはお会いしたみなさんから、逆にハッピーをもらう楽しい旅になりました。

5月に放送された『乃木坂工事中』の企画では、富士急ハイランドの戦慄迷宮にも挑戦しました。お化け屋敷が本当に苦手だから、自分に「大丈夫」って言い聞かせてから臨んだんです。でも、他のメンバーと一緒なら守る側になれるんですけど、1人だと弱い面が出てしまって…。実は、1人だと舞台などの本番前にも、よく「自分ならできる」と言い聞かせていて。そんな素の部分が出てしまって、恥ずかしかったです。

それでも、ファンの方からは「身近に感じられて良かった」という声を多くいただいたし、母親からも「ああいう一面も出していいんじゃない」とメッセージをもらいました。乃木坂46に入って約3年間、ずっと〝弱い面は見せたくない〟と思っていたけど、そればかりではなくてもいい時期になったのかもしれません。

サポーターを務める「高校生クイズ」のPRでは『ZIP!』『スッキリ』『バゲット』（いずれも日テレ）に秋元（真夏）さんと高山（一実）さんとの3人で出演させていただきました。情報番組に少人数で出演したことがなかったし、1期生の先輩お2人と一緒だったので、すごく緊張しました。

どの番組でも、瞬時に判断して答えないといけないことの連続で、お2人には助けてもらってばかり。ライブのMCでは3期生のまとめ役をすることが多いんですが、前日までに言うべきことを全部書き出して、しっかり暗記して安心するタイプなんです。同じ〝しゃべる〟お仕事でも、生放送ではそのやり方は全く通用しませんでした。それからは、いろいろなバラエティ情報番組を見ていて、先輩にも褒めてもらえるような面白いことを早く言えるように勉強中です。

『乃木坂工事中』の鹿児島ロケでのスナップショットです。初めてお会いする方々がみなさんすごく優しくて、以前からの知り合いのように接してくださって、心が温かくなりました。

#15
2019年
8月号

横アリでお見せした〝新しい乃木坂46〟を「真夏の全国ツアー」でもお届けしたい

5月26日に『乃木坂46 23rdシングル「Sing Out!」発売記念～選抜ライブ～』が横浜アリーナで行われました。地元・神奈川での開催というのが楽しみだったし、しかも私のライブ初体験はこの会場で見た西野カナさんだったんです。そのステージに自分が立つんだと思うと、不思議な感覚がありましたね。

ライブでは『overture』の後、1曲目から『Sing Out!』をパフォーマンスしました。いろいろな場所からメンバーが登場して、1カ所に集まっていく演出が好きで、世界中の人々に向けて歌う、スケールの大きい曲の世界観がより伝わったんじゃないかと思います。

初めてみなさんの前で、共感できる2番の歌詞までフルサイズで歌ったので、感情がこみ上げてきました。2番の（齋藤）飛鳥さんを囲んで円形になる振りから、メンバーが散らばっていって、センターの飛鳥さんが際立つ構成を見てもらえたのもうれしかったですね。

Seishiroさんの教え

『Sing Out!』の振りを付けてくださったのは、『インフルエンサー』や『シンクロニシティ』も担当していただいたSeishiroさんです。レッスンのときの「きれいにまとめようとしないで、汚くなってもいいから、もっと感情を出してほしい」という言葉をいつも意識してパフォーマンスしています。

アンコールではもう1度『Sing Out!』を披露しました。このときはお客さんに振りをレクチャーした後、会場全体が明るい照明の中でファンの方たちと1つになってパフォーマンスする、1回目とは全く違ったものでした。一生懸命に振りを覚えて、私たちと合わせてくれるファンの方たちの姿を見て、「この景色をずっと見ていたい」と幸せに感じました。

ライブでは飛鳥さんが「変化する乃木坂46」について「私はこのグループの人たちは変化にも耐え得る人だと感じています。なので、あまり不安はないです」とメッセージを伝えました。今回は、「新しい乃木坂46を示す」という意味合いがあるライブだったんです。

昨年12月の上海や、今年1月の台湾での公演から「新しい乃木坂46」を感じています。私たち3期生は、卒業された先輩たちのポジションに入って素晴らしい楽曲たちを引き継いでいこうと思っていますし、その頃からセンターに立つことが多い飛鳥さんを支えたいという気持ちは強いです。

とはいえ、「新しい乃木坂46」の形は難しい。雑誌などで先輩たちの「頼もしい後輩がいるので心配していません」という発言を見るたびに、ありがたいと思いつつ、今の頑張り方が正解なのかを自問自答しています。私は最近の取材で、「これからの乃木坂46に必要なことは？」と聞かれることがすごく多いので（苦笑）、まずこういう疑問や心配を抱かれないように、個々でも力をつけつつ、必死にやらないといけない時期なんだろうなと思います。

キラキラしている4期生

5月25日には同じ会場へ、4期生単独ライブを見に行きました。みんなの表情が希望にあふれてキラキラしていたおかげで、私も初心を思い出すことができました。全員にセンター曲があったのは、ちょっとうらやましかったです（笑）。個人的に気になったのは最年少の（筒井）あやめちゃん。どの場面でもかわいくて、キャピキャピしすぎていないところに引かれます。（金川）紗耶ちゃんのパフォーマンスも好きで、特にダンス曲では目を奪われました。髪のなびき方までキレイなんですよ。

今はまだリハーサル中ですが（取材時）、7月3日から「真夏の全国ツアー2019」が始まりました。4期生も本格的に一緒になった、横浜アリーナに続く「新しい乃木坂46」をお届けしたいと思います。

横アリでは、念願のサインボール投げが初めてできました。3期生同士で「夢がかなったね」と話しました。しかも、キャッチしたのが私のタオルを掲げていた方だったので、うれしかったです。

#16
2019年9月号

キャプテンの玲香さんが卒業発表。事実を受け入れるには時間がかかりそうです

7月3日のナゴヤドームから「真夏の全国ツアー2019」がスタートしました。9月1日の明治神宮野球場まで続きます。このツアーから本格的に合流した4期生と、私たち3期生がガッツリ一緒に歌ったり、期を超えてシャッフルしたユニットがあったり、攻めたセットリストで、「新しい乃木坂46」をアピールできるライブになっていると思います。

この数カ月で4期生は変わったと感じました。2月の「BIRTHDAY LIVE」のリハーサルのときは4期生だけで固まっていたけど、今回は振りを積極的に先輩に聞く子が多くて。私も（掛橋）沙耶香ちゃんと（清宮）レイちゃんから質問を受けました。うまく振りを教えることができたか分からないけど、聞いてくれたことがうれしかったです。

3期生3人の影アナに歓声

ナゴヤドームの初日では開幕前の影アナを与田（祐希）と佐藤（楓）、私の3期生3人で担当しました。たまたま楽屋で並んで座ってしゃべっていたら直前に指名されたんです。佐藤は地元での公演だからどう

してもみなさんに「ただいま」って伝えたいと言って。では、与田はかわいいセリフで、私が盛り上げ担当、と役割分担しました。声だけなのに、お客さんの大きな歓声が聞こえてきて、いよいよ乃木坂46の夏が始まったんだなという気持ちになりました。

7月8日には、キャプテンの桜井玲香さんが、9月1日の明治神宮野球場の公演で卒業することを発表しました。その事実を受け入れるには時間がかかりそうで、今も玲香さんのいない乃木坂46は想像できません。

昨年末に「日本レコード大賞」大賞を受賞させていただいたときも、多くの関係者の方たちがいるなかで、玲香さんは素晴らしいスピーチをされたんです。私たちの希望を取りまとめて、ライブの演出スタッフの方に提案している姿も見ます。雑誌のインタビューなどでは、よく3期生のことを褒めてくれて、「こんなに気に掛けてくれているんだ」と心強く感じていました。玲香さんは歌もダンスも演技もうまくて、憧れの存在です。キャプテンとして自分を抑えてきたこともあると思うので、卒業後は自分のことだけを考えて活躍できるように、笑顔で送り出したいです。

9月4日には24thシングルが発売になります。先日、選抜発表がありましたが、新しい乃木坂46へと進まなくてはいけない時期なので、4期生3人がフロントに入ることに驚きはありませんでした。必要な変

化だと捉えています。新センターの（遠藤）さくらちゃんはとにかくスタイルが良くて、パフォーマンスしているときのオーラがすごいし、ステージでも肝が据わっているのか、堂々としているイメージがあります。

ただ、選抜の人数が22人から18人に減ったことには驚きました。私自身も2列目から3列目になったことで、発表直後は落ち込んでしまって。昨年はメンバーやスタッフさんから「しっかりしている」と褒めてもらえたり、「舞台出演」「選抜入り」「カップリング曲センター」と続けてチャンスをいただいたけど、「自分ならではの個性」が出せていたのかなと自問自答していました。例えば同期の山下（美月）はMCで振られたことに変化球の受け答えも返せるけど、私は平凡なことしか言えていないなとか…。

同期の思いを受け止める

でも、選抜発表後に楽屋に戻るときに、同期の（阪口）珠美（23rd選抜、24thではアンダー）とバッタリ一緒になって。お互いに最初はただ泣いていたんですが、珠美が「おめでとう」と言ってくれたんです。こんな同期の思いも背負って、選抜メンバーとして前に進まないといけないんだと気付きました。

ナゴヤドームでのスナップショットです。赤をベースにした衣装はテンションが上がります！

新キャプテンの真夏さんは〝乃木坂46らしさ〟そのままの方。私も支えていきたいです

7月3日から、9月1日の明治神宮野球場公演まで続いた「真夏の全国ツアー2019」。今は8月14日の大阪公演が終わったばかりです（取材時）。今回の演出は地球や自然をイメージしていて、冒頭から『インフルエンサー』は炎、『命は美しい』（11thシングル、15年3月）は風、『何度目の青空か？』（10thシングル、14年10月）は空と、楽曲のイメージに合わせた壮大なものでした。ドーム球場（福岡、名古屋、大阪）という会場の大きさに見合った、〝攻め〟のライブです。

テーマは期を超えた〝融合〟

3期生と4期生が合流して『トキトキメキメキ』（20thシングルカップリング）と『キスの手裏剣』（4thアルバム収録）をパフォーマンスするなど〝融合〟もテーマの1つでした。『キスの手裏剣』でペアを組んだ4期生のかっきー（賀喜遥香（かきはるか））とは、2人とも身長が高いから、並ぶとしっくりくる気がして。振りがフリーのパートでは、決めのポーズを相談しました。

かっきーはしっかり者でしゃべりもうまいんです。加入したばかりの頃の私のように「同期のまとめ

役」というイメージが強いみたいですが、楽屋でははしゃいでいる姿もよく見るかな。そうした彼女の明るい部分も、もっとフィーチャーされていくといいですね。

シャッフルしたメンバーでアンダー曲を歌うブロックも楽しかったです。２０１６年の全国ツアーで、アンダーと選抜ではなく、赤チームと青チームに分かれてパフォーマンスしたライブを思い出しました。みんながいつもと違う一面を見せることで、秘めていた実力を爆発させるメンバーがいるかもしれない。こうした挑戦の機会が増えるといいなと思います。

映画『いつのまにか、ここにいる Ｄｏｃｕｍｅｎｔａｒｙ ｏｆ 乃木坂46』の主題歌『僕のこと、知ってる?』(24thシングルカップリング、19年9月)を歌う場面では、毎回泣きそうになるんです。期ごとに歩いていき、1期生が4期生を手招きして、最後は全員で円になるという演出で。お客さんから表情は見えにくいかもしれませんが、私は全員を見渡せる立ち位置なんです。4期生の照れくさそうな顔、3期生のわちゃわちゃ感、2期生の温かさ、1期生の優しい雰囲気…なかでも、9月1日の神宮で卒業される(桜井)玲香さんの笑顔が、つい目に入ります。

大阪公演の日替わりユニットのパートでは、高山さんが総長を務めるレディースチーム・魔雲天の一員にふんして『Ｍｙ ｒｕｌｅ』(19thシングルカップリング)を歌いました。自分でも、ハマるんじゃないかと始まる前からワクワクしていました。参加したメンバーはみんな気合いの入り方がすごくて、リハーサルから「うっす！」と言い合っていたんです。アクションをしながらのパフォーマンスでしたが、生田（絵梨花）さんからは「ミュージカルを見ているみたい」と褒めてもらいました（笑）。

大阪公演ではアンコールで24thシングル『夜明けまで強がらなくてもいい』を初披露しました。フロントに選ばれた4期生の3人（遠藤さくら、賀喜、筒井あやめ）は、緊張しながらも一生懸命頑張っていたと思います。私個人でいえば、前作（『Sing Out!』）はしなやかさを出そうと意識していましたが、この曲では、力強いダンスを心掛けていますので、みなさんに伝わったらうれしいですね。

新しい変化も起こしたい

玲香さんに代わって、（秋元）真夏さんが乃木坂46のキャプテンに就くことも大阪公演で発表になりました。真夏さんは裏表がなくて、常に周囲を気遣って、誰からも信頼される方。だからこそ、自分の気持ちを飲み込んでしまうことも多いのかなって。そうならないように、自分はどう真夏さんを支えていけるかと模索中です。真夏さんは〝乃木坂らしさ〟そのままのような方なので、きっとグループカラーが急に変わることはないかな。大切な芯はそのままに、一緒に少しずつ、乃木坂46に新しい変化も起こしていきたいですね。

福岡・ヤフオク!ドーム公演後のスナップショット。全国ツアーは、メンバーみんなでおいしいご飯を食べに行くのも楽しみの1つです。

#18

2019年11月号

同期や後輩だけで、乃木坂46を代表する機会が増えていることに重みを感じています

9月1日、「真夏の全国ツアー2019」の千秋楽（明治神宮野球場）で、初代キャプテンの（桜井）玲香さんが卒業されました。ライブの最後にステージ上で行った円陣では、玲香さんは「これが最後」という感じを出さずに、いつものように声を掛けたんです。それが余計に切なく感じられてしまいました。

新しい乃木坂46がスタート

新キャプテンの（秋元）真夏さんの掛け声は、9月8日の全国握手会での円陣が初めて。「今日から私がやらせていただきます」という一言から始まりました。「努力、感謝、笑顔〜」という言葉はそのままなんですが、新しい乃木坂46がスタートした感覚になりました。

8月から9月にかけては、バラエティ番組の出演が続きました。でも、もともとバラエティは苦手で…。『乃木坂工事中』ですら、3年たって、ようやくしゃべれるようになったくらい。それも（司会の）バナナマンさんが私に「一見しっかりしているけど、どこか抜けている」というキャラをつけてくださったおかげかな。

でも、他の番組ではそんな私のキャラは知られていないから、1から勉強し直しています。『その他の人に会ってみた』（TBS系／8月27日放送）には先輩の堀（未央奈）さんと2人で出演しました。少人数だし、乃木坂46の衣装ではなく私服でバラエティに出演することが初めてだったので、ドキドキでした。事前に堀さんやマネジャーさんと台本を読みながら打ち合わせたんですけど、本番では司会の東野幸治さんがアドリブばかりなので、あまり対応できなくて。堀さんは見事にアドリブの振りにも返して、しかもさらにツッコみたくなる一言なので、さすがでしたね。

『バゲット』（日テレ系／9月12日放送）は、同期の久保史緒里との出演でした。久保は「真面目なコメントをするだろうな」と読めるので「じゃあ、こう動こう」とか、「私がしっかりしなきゃ」とギアが上がる感覚がありました。

『ぐるぐるナインティナイン』（日テレ系／9月12日放送）は同期の久保、山下（美月）と後輩で4期生のかっきー（賀喜遥香）、（筒井）あやめちゃんの5人で。4期の2人はこちらがビックリするくらい緊張していて、〝私が引っ張らなきゃ〟モードでした。「海」「投」「打」の漢字3文字から連想する著名人を当てるクイズでは、本当に分からなくて焦って「うみぼうず」と書いたんです。正解は大谷翔平選手だったんですが…。収録ではツッコんでもらえたんですが、放送ではそのやりとりはカットされていて。「さらに話が広がる受け答えができなかったからかな…」と落ち込んでしまいました。

テレビ出演で真夏さんや白石（麻衣）さん、（齋藤）飛鳥さんたち1期生の先輩がいらっしゃらずに、「乃木坂46です」と出演させていただく機会が増えていることに、とても重みを感じています。1つの発言がグループ全体の印象につながるので、もっとトーク力を磨いていきたいです。

4期生の魅力を引き出す

同じしゃべる場としては、4月からMCを務めているラジオ番組『乃木坂46の「の」』は、慣れてきたこともあり、どんどん楽しくなっています。4期生と一緒に出演することが増えたので、「真夏の全国ツアー」中は楽屋で4期生のことを遠くから見ていました（笑）。矢久保（美緒）ちゃんと（北川）悠理（ゆり）ちゃんが来た時は、楽屋での2人のほのぼのとしたかわいい空気感をみなさんに伝えたくて、私は1歩引いて進行してみました。その結果、2人の良さを出すことができたと思います。

メンバーと交流できる場でもあるし、先輩を相手に番組を自分が回すという経験もできる。ずっと続けていきたいお仕事です。

9月1日の玲香さんとのツーショットです。会場全体を歩いて回って、みなさんと最後の挨拶を交わす姿は感動的でした。

映画出演が発表に。飛鳥さんと美月と一緒に、クスッと笑ってもらえる作品にしたいです

9月は若月（佑美）さん（18年卒業）の舞台『GOZEN‐狂乱の剣‐』を見に行きました。1幕はとにかくかわいいのに、闇に落ちていく2幕での変わりようがすごかったです。オーラを放っていて、「さすが（若様軍団の）軍団長！」と感激しました。

終演後、若月さんから「いつか一緒に舞台に立てたらいいね」という言葉をいただいたんです。すぐにかなわないことは分かっているけど、いつの日か実現できるように、演技の実力を磨きたいという気持ちが強まりました。

アンダーライブの同期に涙

10月11日にはアンダーライブ（幕張メッセイベントホール）を見たのですが、同期で最年少の（岩本）蓮加が堂々とセンターに立っている姿を見て、1曲目から泣いてしまいました。アンダーセンターが決まってから、プレッシャーに押し潰されそうになりながらも必死に頑張る姿を見ていたので、「ライブが終わったらなんでもしてあげるからね」と励ましていたんです。

今回、1番グッときたシーンは、同期の（阪口）珠美がセンターを務めた『あの日 僕は咄嗟に嘘をついた』（10thシングルカップリング）。いつもの珠美は感情を内に秘めたままキレイなダンスをするんですけど、この曲の落ちサビでは感情を爆発させた表情を初めて見せて、その姿が心に響きました。

今回のアンダーライブは12人だけで、これまでのアンダー曲をすべてパフォーマンスしたんです。1人ひとりにスポットが当たる機会も多くて、私も「早くライブをしたい」と心を動かされました。最近はダンスをファンの方から褒めてもらえることが増えたので、次のライブではダンスをしっかり見せられるパートがあるといいな、と楽しみにしています。

先輩の舞台や同期のステージに刺激を受けていたところで、来年初夏に公開予定の映画『映像研には手を出すな！』に金森さやか役で出演することが発表になりました。「演技のお仕事をしたい」という欲求はずっとあったのですが、もっと何回も舞台を重ねた先にいつか映像作品もあるかも、とイメージしていたんです。それがいきなりの映画のお話だったので、最初は不安でいっぱいでした。

アニメ制作に挑む女子高校生を（齋藤）飛鳥さんと（山下）美月と私で演じます。飛鳥さんは映画に主演されているし、美月もドラマ主演の経験がある。私だけ出遅れているなという焦りがあって…。

英勉監督の作品は『あさひなぐ』はもちろん、『ヒロイン失格』も見ています。監督は本読みのときに、「このセリフはそういう感情の出し方もあれば、別のパターンもあるよね」と選択肢を与えてくれました。「自由にやっていいよ」とも言ってもらいましたが、〝自由〟が1番難しいんですよね（笑）。

私が演じる金森は背が高かったり、行動を起こす前の頭の中での独り言が多いところは自分と重なるかな。でも、どんな相手にもひるまなかったり、違うところもあります。本読みを終えて金森への愛着がどんどん湧いてきたので、素を生かすところと、演じる部分のバランスをうまくとろうと前向きな気持ちになりました。英監督作品らしく、いっぱいクスッと笑ってもらえる映画にできたらいいなって。

井上さんとやりたいこと

10月5日に井上小百合さんが卒業を発表されました。乃木坂46版ミュージカル『美少女戦士セーラームーン』のＴｅａｍＳＴＡＲでご一緒して、演じることの楽しさや演技に向き合う姿勢を基礎から教えてくださった憧れの先輩です。それだけに、卒業の発表は堪えますね…。来春に卒業されるまでに、ＴｅａｍＳＴＡＲで集まって、『美少女戦士セーラームーン』のＤＶＤ鑑賞会を開催しようという約束を実現したいし、一緒に乃木坂46としてライブのステージに立ちたい気持ちも強いです。

若月さんとのツーショット。本当に良い意味で雰囲気は全然変わっていませんでした。舞台に立つとすごく大きく見えるのがカッコいいです。

#20

2020年 1月号

上海公演では中国語のMCで、私たちの気持ちを会場のみなさんにお伝えしました

乃木坂46は10月25日、26日に、中国・上海のメルセデス・ベンツアリーナで単独公演を開催させていただきました。18年に引き続き2年連続となります。

前回は、「初めまして」という感じで、シングル定番曲が中心でしたが、今回は攻めたものでした。1曲目から最新曲の『夜明けまで強がらなくてもいい』で、アルバム曲の『ありがちな恋愛』やユニット曲の『言霊砲』（20thシングルカップリング）などもパフォーマンスしたんです。でも、現地のみなさんは、どの曲でも盛り上がってくれて、いつも私たちの活動を見ていてくれているんだなと、感動しました。

苦戦したのはMCのコーナー。（山崎）怜奈さんと、4期生の3人（遠藤さくら、賀喜遥香、筒井あやめ）と私が、中国語で担当したんです。例えば日本語だと「みなさん、盛り上がっていますかー」の最後の「かー」に力を入れますが、中国語ではどこを上げればいいか、イントネーションが難しくて。現地の言葉が堪能なスタッフさんに何度も確認してもらいました。

MCも通しでリハーサル

いつものライブのMCはアドリブも多いので、台本に目を通しておくぐらいで済ませることが多いんです。でも今回は、私たちの気持ちを上海のみなさんにお伝えすることがすごく大切だったから、MCもしっかり通しでリハーサルをして。初めての体験でしたが、本番では5人のテンションがピッタリ合って、ホッとしました。

今回、1番力を入れたのは中国語で歌った『君の名は希望』（5thシングル、13年3月）です。前回、みんなと「次の機会があれば、現地の言葉でパフォーマンスできたらカッコいいよね」と話していたので、希望がかないました。初日に歌い出した瞬間は、お客さんが驚いていましたが、すぐにいい反応をいただけて、言葉の壁を越えて、みんなの努力が伝わったと感じた瞬間でした。

上海公演は（秋元）真夏さんが、ライブでは初めてキャプテンとして、最後も締めてくださったんです。安定感があって、全く初めてという感じはしませんでした。中国語でのMCコーナーが、少しでも真夏さんを支えることにつながっていたらうれしいですね。

11月13日に放送された『ベストヒット歌謡祭2019』（日テレ系）では、久しぶりに歌番組で『Sing Out!』を披露しました。年末の音楽特番は乃木坂46を知らない方たちも見てくださるだろうから、毎年この時期になると緊張感があります。リハーサルには、振付師のSeishiroさんがいらしてくださって、「直前まで振りはしっかりそろえるけど、本番は内側から出る感情をなにより大事にしてほしい」というアドバイスをくださいました。

『Sing Out!』はみなさんと一緒にクラップしたり、一体感のある曲ですが、5月のリリースからライブで何度も披露してきたので、楽曲の理解も深まってきて。私は、〝爽やかだけど強い〟という表現が重要だと意識して臨んでいます。振りでは、メンバー同士で向き合うところが大切で、リリース直後よりみんなとバッチリ視線が合うようになりました（笑）。

19年も良い形で締めたい

大みそかの『NHK紅白歌合戦』にも出場させていただくことが決定しました。グループとしては、5回連続になりますが、私が初めて出ることができたのは17年。18年は選抜メンバーとして参加して、毎年新鮮な気持ちで接しています。19年も、ここで1年を良い形で締めくくりたいという気持ちは強くあります。

今回は乃木坂46と欅坂46さん、日向坂46さんの3つの坂道グループで出られることがうれしいです。芯の部分は共通していると思うけど、それぞれ違う色があることを多くの方に知ってもらえる機会にしたいと思います。

『ベストヒット歌謡祭2019』で（大園）桃子とのツーショット。同期がそろうとうれしいです。

#21

2020年2月号

「3・4期生ライブ」で学んだ1番大切なことは、今できることを全力でする〝自主性〟です

乃木坂46にとって2019年最後のライブが、11月26日と27日に代々木第一体育館で行われた「3・4期生ライブ」でした。映画『映像研には手を出すな!』の撮影と重なり、リハーサルに参加できない日もあったのですが、みんなのリハーサルの映像を見ながら、なんとか追いつきました。

3期が振りを4期に教える

リハーサルが進むにつれて増えていったのが、3期生が真ん中に立って、4期生に振り付けを教える場面。特に同期の久保(史緒里)が「リハーサルからしっかり声を出して歌ったほうがいい」と4期生に話してくれたことで、全体が引き締まったんです。彼女自身がしっかり実践してきたことなので、言葉に説得力がありました。

私は全体を進行するMC役に。これまでもいろんな場所で任せてもらうことが多かったので、その成果を発揮する場所にしようと覚悟を決めました。ライブのMCでは、ステージで冷静に1人ひとりのことを観察して、「この子に振ったら、こう返してくれるかな」と想像しながら進めています。みんなしっかり返してくれたけど、その中でも（向井）葉月は急に振っても全部うまく受け止めてくれて、息がぴったり合いました。心掛けたのは、メンバーのコメントに対して、私から必ず何か一言添えること。自分が振られた立場では、その一言がうれしいので。

パフォーマンスでは、『自由の彼方』（1stアルバム収録、15年1月）と『空扉』をセンターで歌わせていただきました。アンダー曲の『自由の彼方』は、3期生みんなから「やりたい」という希望が上がって、スタッフさんに提案した曲の1つ。明るい曲が多いセットリストの中に、表現力が問われるこの曲を入れるのは勇気がいることでした。それだけに、先輩がパフォーマンスした映像を何度も見て研究して、目線の動かし方にも気を配って。本番では、感情を爆発させることができて気持ち良かったです。

『空扉』は前向きなんだけど、内に秘めた葛藤を感じさせる歌詞とメロディーが私たち3・4期に合っているんです。この曲の冒頭では、みんなを鼓舞する掛け声を掛けました。これまでは、自分のことで精いっぱいでしたが、このライブで初めて、「3・4期生のみんなを守りたい」という感情が湧いてきて、思わず出た一言だったんです。

もちろん、反省点もあります。難しかったのが3・4期混成ユニットの『欲望のリインカーネーション』（2ndアルバム収録）での、「カッコ良く、セクシーに」という表現。1期生の（中田）花奈さんや樋口（日奈）さんのように、女性らしさを見せられるようになりたいです。でも、この曲で一緒だった4期生（金川紗耶、田村真佑、早川聖来（せいら））と話す機会が増えたのは収穫でした。センターは真佑ちゃんだったのですが、3期生の支えが必要ないくらい堂々としたパフォーマンス。4期生は物怖じしない子が多いんです。

卒業した先輩と共演したい

2日目のアンコールでは、私がこのステージに立てた感謝と、3・4期生はもっと成長していきたいという決意を、代表してスピーチさせていただきました。

今回学んだ1番大切なことは〝自主性〟です。みんな今の自分にできることを、受け身ではなく全力でぶつけていったライブになったと思います。これまでは先輩に遠慮してしまって、アピールできないことが多かったけど、今年は、このライブで得たものを、1月19日の台湾公演や、2月21日から24日にナゴヤドームで開催する「BIRTHDAY LIVE」で生かしていきたいです。

また、舞台のお仕事もできたらいいなと思っています。1番の目標は卒業された先輩と共演すること。尊敬する若月佑美さんと約束したので、この夢はかなえたいですね。

「3・4期生ライブ」ではクイズで3期と4期が対決するコーナーも盛り上がりました。

#22

2020年3月号

憧れの白石麻衣さんが卒業発表。感謝の言葉をどう伝えたらいいのか考えています

昨年末から年明けにかけては、忘れられない大きな出来事が続きました。『輝く！日本レコード大賞』（TBS系、12月30日）で、優秀作品賞に選んでいただいた『Sing Out！』は19年の全国ツアーを通して、厚みが出せるようになってきた曲。振付師のSeishiroさんの「自分の感じた空気で踊ってほしい」という言葉を徐々に形にできるようになってきた1年間の、集大成といえるパフォーマンスができたと思います。

自然とこぼれてきた笑顔

3年連続の大賞を乃木坂46が逃した悔しさはもちろんあります。でも、Foorinさんの『パプリカ』はとても心が温かくなる曲で、大賞に選ばれた時は自然と笑顔になりました。

『NHK紅白歌合戦』（12月31日）では、坂道3グループ合同で『シンクロニシティ』を披露しました。リハーサルで欅坂46さんと日向坂46さんのパフォーマンスを目にして、「みんな慌ただしい年末に、時間を割いてここまで仕上げてくれたんだ」と感動しつつ、3グループの真ん中に立つということに緊張も感じていました。

80人の坂道合同メンバーのセンターを務めた白石（麻衣）さんは見とれてしまうほどのオーラでしたね。なによりカッコよかったし、「この人でないとダメなんだ」と改めて感じました。8年間積み重ねてきた、パフォーマンスに対するプロ意識の高さを感じたんです。

『紅白』からそのまま移動して、『CDTVスペシャル！年越しプレミアライブ』（TBS系）ではオープニングで『インフルエンサー』を歌いました。ここ数年は『紅白』の楽屋で、みんなで手をつないで、年越しの瞬間にジャンプするのが恒例になっていたんです。今年は違った年明けだったので、実はまだ「もう2020年なんだっけ？」という感覚なんですよ（笑）。

『CDTV』ではキャプテンの（秋元）真夏さんが「仲良し46」という書き初めを掲げたんです。私は、その後ろで、「真夏さんらしいな」とうなずいていました。『紅白』での坂道合同のパフォーマンスから「今年は坂道シリーズ全体で仲良くして高め合いたい」という気持ちが強まっています。

貴重な時間を大切にしたい

年明け最初のグループ全体のミーティングで、白石さんから卒業の発表がありました。聞いた瞬間は

「ついにこの日が来てしまったか」と寂しく感じて。でも、涙は必死にこらえました。「泣くのは今じゃない」と思ったからです。でも、家に帰って冷静になると、これまでの思い出がフラッシュバックして、涙が止まらなくなってしまいました。オシャレに無頓着だった私が、ファッション誌を読むようになったのは白石さんがきっかけだったんです。

忘れられない白石さんとの思い出は、昨年の「BIRTHDAY LIVE」の2日目（2月22日・京セラドーム大阪）。『急斜面』（14thシングルカップリング）や『孤独な青空』（16thシングルカップリング）といった曲の重要なポジションを任されて、そのプレッシャーからステージを降りた時に涙が出てしまったんです。先輩の前で泣いたのは初めてで、北野（日奈子）さんや（渡辺）みり愛さんが声を掛けてくださったんですけど、少し落ち着いたところで白石さんが寄り添ってくれたんです。背中をさすってくれながら「私もそうだったよ」と言ってくれた一言が心強くて、「もっと強くならなきゃ」と心に誓いました。

今は、白石さんに感謝の言葉をどう伝えたらいいのか考えています。今年の「BIRTHDAY LIVE」（2月21日～24日・ナゴヤドーム）や3月25日発売の25thシングルの制作期間は、白石さんと一緒に活動できる貴重な時間になりそう。卒業されるまでに自分の気持ちを直接伝えたいと思っています。

『CDTV』での1期生の先輩たちと。トークのシーンでは、先輩と一緒にひな壇にも座りました。

#23
2020年
4月号

白石麻衣さんと最後のビデオ撮影、泣いた私にご本人が優しく声を掛けてくれました

今回は白石（麻衣）さんと井上（小百合）さんにとって卒業シングルとなる『しあわせの保護色』（3月25日発売）のお話をさせていただきます。

いつも緊張する選抜発表では、まず3列目が11人という人数の多さに驚きました。私も含めて2期から4期のメンバーの名前が呼ばれていくなかで、「もしかしたら…」と察して。その予感通り、1列目と2列目を1期生の先輩方全員が固めるということに感動しました。8年間も活動して輝き続けている1期生のみなさん11人に改めて乃木坂46の歴史を感じたんです。

選抜発表が終わった後、同期の（大園）桃子と「白石（麻衣）さんの卒業はやっぱり寂しいね」と泣きながら話しました。センターの白石さんと仲の良い桃子が3列目の真ん中にいることには意味があると思

います。私自身のポジションは、初めてになる上手（客席から向かって右側）の端。これまでは下手の端が多かったので、ダンスの見せ方も変わるだろうし、歌番組に出させていただくときはカメラさんも逆から回ってくることになるから、新しく学ぶことも多いんじゃないかと思います。

かっきーと距離を縮めたい

シンメトリーになる、3列目の下手の端が4期生のかっきー（賀喜遥香）だったのはうれしかったですね。私と同じく背が高いので、「3・4期ライブ」（昨年11月開催）の時にペアで踊ったこともあるし、同期のまとめ役と言われるところも似ているので、安心感があります。もっとかっきーとは距離を縮めたいですね。

『しあわせの保護色』を最初に聴いた時には、今までにない曲調だなと思いました。先輩が卒業されたときの楽曲、橋本（奈々未）さんの『サヨナラの意味』や西野（七瀬）さんの『帰り道は遠回りしたくなる』には切なさを感じたんですけど、今回は優しさや温かさがあって居心地の良さを感じる曲なんです。

歌詞のなかでは「幸せ」という単語が印象的で、聴いていると白石さんや井上さんとの思い出がフラッシュバックしてくるんです。ファンの方も温かい気持ちになると思います。ＣＲＥ８ＢＯＹさんの振付けもキャッチーで、みんなと目線を合わせながら踊る場面にはグッときました。ミュージックビデオでは、期ごとのダンスに白石さんが交わったり、白石さんと井上さんや桃子とのペアダンスがあったり、白石さんを中心にしてみんなが円になって踊ったり、ドラマではないですけどストーリー性を感じます。

白石さんを中心としたダンスのシーンの撮影でも、やっぱり泣いてしまいました。隠れて泣いているつもりだったんですが、白石さんが気付いて呼んでくれて、一緒に写真を撮って「まだ時間はあるからね」と優しく言ってくださったんです。

自分自身の背中を見せる番

2月16日には、坂道研修生から5人が4期生として乃木坂46に加わることが発表になりました。私たち3期生が入ったばかりの頃は、特に2期生の先輩たちが優しく手を差し伸べてくれたことを思い出します。なかでも新内（眞衣）さんは、気を張って〝できる風〟を装っていた私の気持ちをすぐに見抜いてご飯に誘ってくださって、「時には先輩に甘えてもいいんだ」と気付かせてくれました。

今度は2期生のみなさんが助けてくださったように、私たちが4期生の気持ちをくみ取って、彼女たちの悩みを一緒に解決していく立場なんだと感じています。特に新しく加わる5人にとっては、白石さんと一緒に活動できる期間はあとわずか。先輩たちと長く一緒に活動して学んだものを引き継いでいきたいし、なにより今度は自分自身の背中を見せる番だと思っています。

「8th YEAR BIRTHDAY LIVE」での『失恋お掃除人』の4人。ライブのお話は次号でお伝えします。

#24

2020年5月号

飛鳥さんの「乃木坂46は変化を強みにしたい」という言葉で不安が吹き飛びました

乃木坂46の誕生日をお祝いする「ＢＩＲＴＨＤＡＹ ＬＩＶＥ」。8回目となる今年はナゴヤドームで開催して、４日間で２００曲を披露しました（2月21日～24日）。

今年の特徴は、ライブの最初のパートで期別に曲を歌ったこと。それぞれの期の良さが見せられたのではと思います。１期生さんと2期生さんはさすがの貫禄だったし、４期生には初々しさがある。私は、３期生の良さってなんだろうと考えながらパフォーマンスしました。３期生は個々が強くなってきているけど、12人そろうとまだどこか幼さがあるというか、いい意味で変わらないところがいいなと思っています。印象に残った曲は『三番目の風』。最初にいただいた3期生曲で、勢いがあってライブに強い曲だなと改めて感じました。何回も披露してきたけど、12人そろうとパワーが違うなって。

3年前のライブを思い出す

卒業生のソロ曲を関係性の強いメンバーが歌うパートは胸に響くものがありました。意味のあるメンバーが歌うことで、ファンの方があの頃を思い出したり、この先の乃木坂46を想像してくれるのかなと思いました。特に白石（麻衣）さんと松村（沙友理）さんが歌う『ないものねだり』（橋本奈々未の卒業ソロ曲、16thシングルカップリング）は、3年前のBIRTHDAY LIVEを思い出しました。加入したばかりだった私たち3期生は、橋本さんの姿を客席から見ていたんです。

最終日には坂道研修生から、新4期生として加入することになった5人のお披露目がありました。これまでの3期生と4期生は先輩に紹介してもらいましたが、今回は次の曲の準備もあって新4期生たちだけで自己紹介をしたことにビックリして。ステージ裏で声だけを聞いていたんですけど、みんなしっかり話していたので度胸があるなと感じました。特にまとめ役をしていた弓木（奈於）ちゃんは、私と同じ年齢と思えないほどしっかりしていますね。

最後に（齋藤）飛鳥さんがステージで「乃木坂46は変化を強みにしたい」とおっしゃいました。白石さんの卒業を間近に控え、不安を抱えているメンバーやファンの方を安心させてくれる言葉で、私も「自分の信じた道を行けばいいんだ」と受け止めました。飛鳥さんがいてくれると心強いです。

この日のアンコールで初披露したのが25thシングルの表題曲『しあわせの保護色』。24枚目までの合計が199曲で、『しあわせの保護色』が200曲目というのも運命的なものを感じました。この曲からは1期生の先輩たちの雰囲気の良さが伝わってきます。最後に松村さんが自分からタッチしていく振りがかわいいですね。

ライブのリハーサル中には、一生忘れられない出来事がありました。白石さんと（大園）桃子が一緒にいて、桃子が私のことを呼ぶから「なんだろう」と思ったら、白石さんがバレンタインチョコをくれたんです。飛び上がるほどうれしかったし、3月のホワイトデーには、お返しを渡しました。

ユニット曲は映画の主題歌

25thシングルには、飛鳥さんと山下と私のユニット曲と3期生曲も収録しています。私にとって2年半ぶりのユニット曲『ファンタスティック3色パン』は、映画『映像研には手を出すな！』の主題歌にもなっているポップソングです。3期生曲の『毎日がBrand new day』は心地よくなるミドルテンポの楽曲で、みんな「聴くたびに好きになるね」と言っています。センターの久保史緒里は、負けず嫌いで強い意志を持っているけど、表には出さないタイプ。そんな久保を全員で盛り立てている雰囲気が曲に合っていると思います。キャンプファイアーを囲むミュージックビデオは、みんな素のままのいい顔をしているんですよ。

BIRTHDAY LIVEで同期と。『毎日がBrand new day』での久保の初センターは本当にうれしいです。

#25
2020年
7月号

白石さんの卒業コンサートが延期に。そのときは笑顔で送り出したいと思っています

自宅にいる日々が続くなか、最近は自分が加入する前の乃木坂46のライブや、入ったばかりの頃の『NOGIBINGO!』など過去の映像を見る時間が増えています。改めて見ると、初期のバラエティでは自分らしさを出せていなかったですね。声も無理に1トーン上げていて、見ていると息苦しくなるくらい（苦笑）。考えすぎていた当時に比べたら、徐々に素を出せるようになってきたんだなと感じました。

Ｎｅｔｆｌｉｘでドラマも見ていますが、『愛の不時着』と『梨泰院クラス』が面白かったです。韓流ドラマが好きだった小学生のとき以来、久しぶりに見て、先の読めない展開や映像の美しさに心が動かされたし、役者の方たちの自然なお芝居に「私も演技がしたい」と思いました。

同期と過ごす時間が楽しい

先日は、3期生12人でリモートダンスレッスンを受けました。メンバーで集まってのレッスンでは、細かい角度を意識したりしてレベルアップを目指していたんですけど、今回は久しぶりにみんなと同じ時間を過ごせること自体がうれしくて。いつも真面目になりすぎてしまうところがあるので、このときのレッ

スンでは楽しむことを優先しました。

4月から5月にかけては、ドラマ『映像研には手を出すな！』（MBS／TBS系）が放送されました。自分の演技が地上波で流れるのはすごいことだなと、背筋をピンと伸ばしながら見ていたんです。

改めて、飛鳥さんが演じる浅草氏を引っぱたくシーンがたくさんあったなって。序盤は探り探りでしたが、どんどん飛鳥さんも私も役柄に入り込むようになって、マイペースな浅草氏に本当に腹が立つようになってきたんです。そのタイミングで撮影した、失踪した浅草氏を必死に探していたら、ゆったりアニメを見ていたシーンでは、特に見事に引っぱたけていると感じました（笑）。それから、浅草氏をヘッドロックする場面も何回かあるんですけど、監督と相談してリアルに見えるように、実際結構力を入れているんですよ。飛鳥さんには本当に申し訳なかったですけど（笑）。

5月5日から7日に予定していた東京ドームでの白石麻衣さんの卒業コンサートは延期になってしまいました。その3日間は過去の東京ドーム公演を3回に分けてＹｏｕＴｕｂｅで配信して、30万人以上の方に視聴していただきました。私もリアルタイムで見たんですけど、メンバーやファンの方が感想をどんどんツイッターに投稿して、盛り上がりを感じたので、私も「白石さんのあおり〜かっちょいい〜!!」とコメントしました。本人を目の前にしたら絶対に言えないことでも、ＳＮＳだったら言葉にできると思って。それでも勇気を振り絞ったんです。

ずっと憧れてきた白石さんの卒業コンサートは、私の人生においても大きなターニングポイントになるだろうと覚悟していたので、延期と聞いて残念な気持ちでいっぱいになりました。でも、中止ではなく延期だし、そのときは笑顔で送り出したいと思っています。

はっちゃけてもいいのかな

６月19日〜21日に『乃木坂46時間ＴＶ』を配信することが決まりました。深夜の人狼ゲームなどでメンバーたちの素が見られたり、今の乃木坂46ならではの面白さが詰まった内容になると思います。握手会の開催が難しい状況が続いていますが、「いつも私たちの存在を身近に感じてほしい」という思いがあるので、この番組もそう受け止めてもらえるようにしたいです。日頃はなかなか素を出せないタイプなんですけど、そのためにも今回ははっちゃけてもいいのかなと思っていて、「しっかりしている」というイメージだけではない新しい面も見せたいですね。

リモートでの活動が増えてきましたが、一瞬のタイムラグになかなか慣れなくて、まだ緊張気味です。

#26

2020年
8月号

『46時間TV』で1人キャンプ。自然の中で、はっちゃけた素の自分を見てもらえました

メンバーが生放送で様々な企画にチャレンジする番組『乃木坂46時間TV』が6月19日から21日にかけてABEMAで配信されました。今回のテーマは「はなれてたって、ぼくらはいっしょ！」。新型コロナウイルスの影響で思うように活動できない日々が続いてますが、そうしたなかでも、今できることで、ファンのみなさんと心を通い合わせられる機会にしたいという気持ちでした。

過去3回とは違い、今回はソーシャルディスタンスを保つためにメーンのスタジオにいるメンバーの人数を制限し、他のメンバーはそれぞれ離れた個別のブースで待機することに。3期生のブースは青い壁紙で統一されていたから、三日月の装飾品を自宅から持ち込んだり、まるで自分の部屋のようにリラックスできる空間に仕上げてみました。

ハプニングも気にしない

メンバーがそれぞれ1人約10分の冠番組を持つ「乃木坂電

視台」で私が挑戦したのは「1人キャンプ」。この数カ月、YouTubeでいろいろな動画を見ているなかで、ヒロシさんのチャンネルにハマっていたんですよ。ずっと素の自分を見てもらうには、どうすればいいかなと思っていたので、「これだ！」って。

1番大変だったのは火を起こすところ。映像ではすぐにうまくいったように見えたかもしれませんが、実は4時間くらいの撮影時間中、それだけで1時間半くらいかかってしまって（苦笑）。テントの組み立て方法は、事前に動画で予習したんですが、最初に中に敷かないといけないシートを敷き忘れたことを、完成直前に気付いてしまいました。だから、中で寝るとちょっとゴツゴツしましたが、問題なしということにして（笑）。このハプニングで、細かいことは気にしない素の部分も見てもらえたんじゃないかな。髪形をおさげ風にしてみたり、オーバーオールを着てみたり、周りのすてきな自然のおかげもあって、はっちゃけることができました。

番組では、久しぶりのライブも実現しました。3期生楽曲の『毎日がBrand new day』を初披露できたのがうれしくて。歌う前は、レッスンはリモートになったし、みんなで集まるところの振り付けも変更したので、「ライブ感が出せるのかな」という不安もあったんです。だけど、『Overture』がかかるとモードが切り替わって、ハイテンションでパフォーマンスできました。オリジナルの振り付けができない分、歌詞の意味を表情でも伝えることに力を入れたので、画面越しでも伝わっていたらいいなと思っています。

メンバーみんなで歌った『世界中の隣人よ』（20年6月配信）は、新型コロナウイルス対策に尽力されている医療従事者のみなさんや、自粛を続けている方たちへの感謝の気持ちを歌った楽曲です。私の歌割りパートの、「自分に何ができるのだろう／そう何度も考えてみた」という歌詞の答えは、最初に目にしたときからずっと考えていました。

視聴者からの言葉に感謝

番組の最後に、メンバーが1人ずつ、メッセージを伝えるコーナーでは、「私たちが皆さんの〝笑顔〟のきっかけになります」とボードに書きました。実は、最初は「なりますように」にしようと思っていたんですよ。でも、視聴者の方からのメッセージの中に、「乃木坂46の歌で元気になった」という看護師さんや学校給食を作られている方たちの言葉があって。このときに、『世界中の隣人よ』の歌詞の答えがやっと見つかった気がしました。なので、直前に「なります」と断言しようと決めたんです。

今回の46時間TVは、メンバーが力を合わせればなんでも乗り越えられるし、ファンの方たちとも心を通じ合えることが分かった、忘れられない経験になりました。

『46時間TV』では、総合で6位になれた「3期生運動能力女王決定戦」も楽しく盛り上がりました。

小室哲哉さんが手掛けた配信シングル。カッコいい乃木坂46で元気になってほしい

乃木坂46は配信限定シングル『Ｒｏｕｔｅ ２４６』（ルート・ツー・フォーティシックス）を7月24日にリリースしました。作曲・編曲は小室哲哉さん。両親の影響で小室さんのサウンドはよく耳にしていて、特に華原朋美さんの楽曲のイメージが強いです。

イントロは「小室さんだ！」というインパクトがあって、私たちが歌い始めると、小室さんと乃木坂46の色が絶妙にミックスしていると感じます。これまでのカッコいい系のシングルといえば『命は美しい』や『インフルエンサー』を想像されると思うんですけど、この曲はまた異なるテースト。歌詞も攻めていて、心をさらけ出したような言葉が胸に刺さるんです。印象に残っているのは「カッコつけて生きても／どうせ一瞬の幻なんだ」というフレーズ。コロナ禍の状況だからこそ、『Ｒｏｕｔｅ ２４６』でみなさんに力を与えることができたらいいなと思っています。

いつもと異なる衣装や髪形

全体的にスポーティーな衣装や髪型も挑戦的です。「乃木坂46といえば長い丈のスカート」というイメージがありますが、ショートパンツの子もいることを新鮮に感じてもらえるはず。みんなピンクや白のエクステをつけていて、特に「黒髪ストレート」の印象が強いセンターの齋藤飛鳥さんが前髪にも色を入れているのは、目に訴えてくるものがあります。

この曲で私の立ち位置は2列目の1番下手（向かって左）。『Sing Out!』と同じポジションということもあって、私にとってはしっくりくる場所です。

ミュージックビデオの撮影の時に、同期の久保（史緒里）や（岩本）蓮加、（大園）桃子とは、「この曲は、今までとは違うスイッチを入れたほうが伝わるのかな」と話をしました。歴史ある乃木坂46らしさも大事だけど、今回はそこから1歩踏み出したカッコよさを見せたい。いつかこの曲をライブ披露できる日が楽しみです。

リモート収録が続いていたレギュラーバラエティ番組『乃木坂工事中』ですが、ソーシャルディスタンスをとった形でのスタジオ収録に切り替わりました。MCのバナナマンのお2人と直接お会いできたことがうれしかったです。その最初の収録が、待ちわびていた「内輪ウケものまね大賞」だったので（7月20日放送）、心の底から楽しめました。ダンスのクセや楽屋での様子といった、

メンバーしか知らないものまねを披露する企画です。私は同期の（伊藤）理々杏と中田花奈さんのものまねをしました。花奈さんは『三角の空き地』のソロダンスなど、いつも目を引くライブパフォーマンスに憧れていて。ずっと見ているうちに、クセを見つけたんです。

花奈さんらしい卒業発表

その花奈さんが年内に卒業することを発表しました。以前から、なんとなくは聞いていたのですが、想像より早かったので寂しくなりました。レギュラーラジオ番組『沈黙の金曜日』（ＦＭ Ｆｕｊｉ）での卒業発表をリアルタイムで聴いたんですけど、冗談を交えてサラッと伝える感じに花奈さんの美学を感じたし、乃木坂46での活動はやりきったという気持ちも伝わってきました。

私は加入直後に、「名字の〝梅澤〟がアイドルっぽくない」と悩んでいた時期があったんです。察してくださった花奈さんは「美波ちゃん」と名前で呼んでくれて、ずっとその気遣いに感謝しています。難しい状況かもしれませんが、花奈さんが卒業されるまでにライブでご一緒したいです。花奈さんはずっとダンスでグループを支えてきてくださったので、卒業されても乃木坂46のパフォーマンスが輝き続けられるように、私たちの世代が頑張らなくてはいけないと思っています。

『Route 246』のミュージックビデオ撮影時の1枚。この曲ではいつもと違う私たちを楽しんでください。

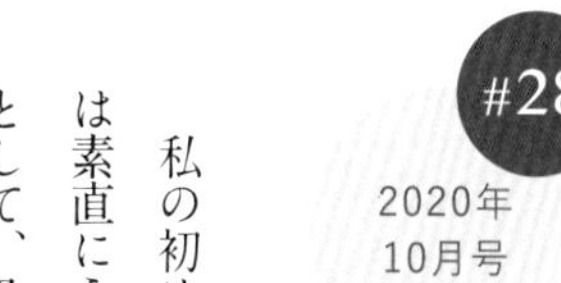

#28
2020年
10月号

オーストラリアで撮影した初の写真集は、親近感を持っていただけるショットもいっぱい

私の初めての写真集『夢の近く』が9月29日に発売されることが決まりました。お話をいただいたときは素直にうれしかったですが、プレッシャーも感じました。白石（麻衣）さんの『パスポート』をはじめとして、乃木坂46の認知度を高めてきたのは個人の写真集だし、部数もニュースになることが多いので、中途半端なことはできないなって。頭の中で整理して、マイナスな気持ちは一日置いておいて、「準備期間も海外での撮影もいい経験になるはずだから、楽しもう」と考えるようにしました。

ロケ地はオーストラリアのバイロンベイとゴールドコースト。海が好きな両親に「美波」という名前をつけてもらったから、「海がキレイな場所に行きたい」という希望を出していたんです。バイロンベイはサーフィンで有名なスポット。小学生の頃、父親とよくサーフィンに行っていたんですけど、久しぶりに挑戦しました。

少女っぽさも出してみたい

衣装については、いつも大人っぽいクールなものが多いので、「オーバーオールとか、〝少女っぽさ〟も出してみたい」ということだけは伝えさせていただいたんですけど、あとは編集の方にお任せしました。プロデュースしてもらう形で私らしさを引き出してもらいたいと思ったし、この機会にみなさんから私がどう見えているかも知りたかったので。

撮影までのコンディション作りも頑張りました。自分の長身を生かすための体作りを目指して、ジムに通って、食事にも気をつけていたんです。

日本は冬、オーストラリアでは夏の季節での長期間ロケでしたが、撮影していくなかで素の自分を出すことができました。コアラやカンガルーと触れ合ったり、「フライド・スイートポテト」にハマってほぼ毎日食べていたり、オーストラリアを満喫できました。

写真を見て感じたのが「私って意外と童顔なんだな」ということ。これまであまりアップで顔を撮ってもらうことがなかったので、自分でも新たな発見がありましたね。今回の写真集では、みなさんに親近感を持っていただけるショットもいっぱいあるんじゃないかと思っています。

タイトルは、もう1つの候補と悩んで、白石さんと（大園）桃子に相談したんです。2人とも「『夢の近く』がいい」と言ってくれたこともあり、こちらに決めました。ファンの方が抱いている私のイメージによって言葉の捉え方は変わると思うけど、みなさんの解釈にお任せしたいです。

白石さんにはどうしても1番最初に読んでいただきたくて、本の形になる前の段階で見てもらったんです。「キレイだね」と褒めてもらえたことで、自信を持つことができました。

白石さんの卒業コンサート

その白石さんは8月20日にYouTubeチャンネルの生配信で、無観客の配信形式での卒業コンサートを10月28日に開催すると発表しました。ファンの方たちは、直接見送りたかったという気持ちが強いと思います。白石さんはその思いを理解しているからこそ、文面ではなく自分の口から伝えたんだと受け止めました。乃木坂46を築いて、たくさんの宝物を残してくださった白石さんを満員のお客さんと一緒に送り出したかったという悔しさは私にもあります。だからこそ、いつも以上に気持ちが伝わるようなライブにしたいと、今から気持ちが高まっています。

配信には高山（一実）さんと松村（沙友理）さんもゲストで出演。3人の会話は、温かさがにじみ出ていて「大好きな乃木坂46だ！」とテンションが上がりました。3期生と4期生は、この雰囲気を引き継ぎつつ、1人ひとりが個々でも強く成長していきたいです。

オーストラリアでのオフショット。コアラはやっぱりかわいかったです。あと、活発なイメージだったカンガルーが何匹も横たわって寝ているのは驚きでした。

#29

2020年
11月号

『ファンタスティック3色パン』の初パフォーマンスは3人の信頼関係が伝わるものに

『映像研には手を出すな！』で共演した（齋藤）飛鳥さんと山下（美月）とのユニット曲『ファンタスティック3色パン』を9月21日の『CDTVライブ！ライブ！』（TBS系）で初パフォーマンスしました。ミュージックビデオがない楽曲なので、衣装も振り付けもこの日のために作っていただいた特別なもの。衣装は、『映像研』のイメージである迷彩柄に、曲名に合わせた「F」の文字が散りばめられているんです。フルサイズでパフォーマンスできて、本当にありがたいなと思いました。

ダンスはピョンピョン飛び跳ねたり、私が倒れてくる飛鳥さんを支えたり、コミカルでキャッチーなので、記憶に残りやすいと思います。3人で目を合わせるところもあって、撮影期間で築き上げた関係性が見えるような

パフォーマンスになりました。ライブでも絶対に盛り上がるはずなので、いつか披露してみたいですね。

緊張した初めての撮影現場

乃木坂46の第2弾ミュージックビデオ集『ALL MV COLLECTION 2〜あの時の彼女たち〜』が9月9日に発売されたので、久しぶりに懐かしい映像を見ています。加入して最初に撮影したのが3期生楽曲の『三番目の風』。初めての現場なので、監督、カメラマン、照明さん、音声さんとたくさんの方たちが関わっていることに驚いて、「ミスできないな」とすごく緊張した記憶があります。スマホの写真フォルダを探してもこのときのオフショットは全然ないんですよ。他のメンバーに聞いても同じで、みんな余裕がなくて張り詰めていたんでしょうね。だからこそ、当時ならではの初々しい表情が出ているのかなと思います。

1番苦労した作品は『空扉』です。初めて選抜メンバーのみなさんと撮影するミュージックビデオが自分のセンター曲になるとは想像もしていなかったので、すごいプレッシャーでした。監督は何度かご一緒していた明るい空気を作ってくださる方だったんですが、最初に撮影したダンスシーンでなかなか笑顔になれなくて、「もう少し笑えるかな」と言われてしまいました（苦笑）。後半に撮影したコメディシーンでようやく緊張がほぐれてきたことを覚えています。

7月に配信でリリースしたシングル『Ｒｏｕｔｅ ２４６』も収録されています。ステイホーム期間が明けて最初の撮影だったので、みんなと「久々だね」と言い合いながら新鮮な気持ちで参加できました。ビデオの後半では、この撮影のときにしかまだ着ていないレアな衣装でも踊っているんです。衣装のキラキラ感に照明がうまく反射して、カッコよく映っていると思います。

白石さんの動画が楽しみ

10月28日の白石麻衣さんの卒業ライブが近づいてきていますが、まだ実感が湧きません。9月12日の『THE MUSIC DAY 2020』（日テレ系）では、白石さんがセンターの『ガールズルール』（6thシングル、13年7月）を一緒に歌わせていただきました。白石さんは、7年前のミュージックビデオからキラキラ感はずっと変わらないし、圧倒的な存在感もあって、改めてすごいなと感じています。

白石さんのYouTubeの動画も毎回楽しみに見ています。料理中にフタを閉めたままコショウを振ろうとしたり、ホラーゲームで怖くて動けなくなってしまったり、歌番組での姿しか知らない方が見たらギャップに驚いてしまうような、素の魅力が詰まったチャンネルだと思います。ソロキャンプのための道具を買いに行った回は、私も『乃木坂46時間TV』でソロキャンプを体験したばかりなので、特に興味深くて。いつかキャンプでもご一緒できる機会を夢見ています。

『CDTV ライブ！ライブ！』のオフショット。「F」の文字は3人とも色が違っていて、飛鳥さんがイエロー、山下がピンク、そして私が水色なんです。

#30

2020年
12月号

ミート&グリートで写真集を多くの方に楽しんでいただけた実感が湧いてきました

10月28日に白石麻衣さんの卒業コンサート『NOGIZAKA46 Mai Shiraishi Graduation Concert ~Always beside you~』が配信で行われました。お話ししている今はまだ開催前なので、リハーサルの様子をお伝えします。

乃木坂46にとっては、2月のBIRTHDAY LIVE以来、8カ月ぶりとなる本格的なライブになりますが、ステージで踊ることの楽しさを久しぶりに実感できました。体に染みついていたダンスがよみがえってくる感覚です。

ただ、欅坂46(現・櫻坂46)さんや日向坂46さんが開催してきた配信ライブはすべて見ていますが、いざ自分がとなると難しいですね。今までは、どんな場所で踊っていても見てくれるファンの方がいたので、目線を送りながらパフォーマンスしていました。でもカ

メラばかりがずらっと並んでいるのは、歌番組収録に近い感覚なのかなと思っています。

配信ならではのCG演出

CGを重ねた演出もたくさんあるみたいで、『サヨナラの意味』では「配信で見ている方にはこう映っている」という映像を見せてもらいました。画面越しのイメージを膨らませながら、リハーサルを重ねています。

10月16日に放送された『ミュージックステーション』では、白石さんが選んだ3曲をパフォーマンスしました。『シンクロニシティ』と『ありがちな恋愛』にも思い入れがあるんですけど、加入前の曲である『今、話したい誰かがいる』（13thシングル）は、歌番組で3期生と4期生が入って披露するのは初めてなので、特に気合いが入りました。

実は『今、話したい誰かがいる』は、初めて握手会に参加して白石さんの列に並んだ思い出の曲なんです。パフォーマンス中は今の自分と、ファンの時の自分が重ね合わさったようで不思議な感覚がありました。

私の写真集『夢の近く』の発売日（9月29日）は、朝から書店を回りました。1件目のSHIBUYA TSUTAYAさんでは写真集のパネルが飾られていて、センター曲の『空扉』や3期生曲のメドレーを

SHIBUYA TSUTAYAさんでのパネル展です。ファンの方からは「最後のページの振り返っている写真の表情が好き」という声をたくさんいただきました。

流して迎えてくださって、愛を感じました。

（齋藤）飛鳥さんに見てもらったら「男性にも女性にも喜んでもらえる作品だね。安心したよ」と言ってくださって、心に響きました。映画『映像研には手を出すな！』で共演した桜田ひよりさんにもお送りしたんですが、届く前に限定版を買っていただいたと知って、ものすごくうれしかったです。「梅澤さんは個人的に顔がめちゃくちゃタイプ」とWebのインタビューで話されていて。撮影の時は、桜田さんからそうした雰囲気はみじんも感じなかったんです。むしろ、私のほうこそ子役時代から見ていた桜田さんに憧れているので、いつかまた共演できたら、私から距離を縮めにいきたいと思います。

ファンの方と答え合わせ

10月から始まったオンラインミート&グリートでは、ファンの方から写真集の感想をたくさん聞かせていただきました。普通の握手会では手に何かを持つことができないんですが、オンラインだと手にした写真集のページをめくりながら、「この写真の表情が良かった」と言ってもらえることが多かったのがうれしかったです。本当に、写真集を多くの方に楽しんでいただけたんだな、という実感が湧いてきました。

私は演技でも歌番組でも、終わった後に「大丈夫だったかな」と心配しがちなんです。ファンの方とその答え合わせをさせてもらうと安心できるので、本当に大切な時間だなと改めて感じました。その時ごとに可能な方法で、ファンの方と交流できる機会が増えていったらいいなと願っています。

#31

2021年1月号

同期の山下が初センター。彼女が隣の私を見た時に、心が休まるような存在でいたい

配信で10月28日に開催した白石麻衣さんの卒業コンサート「NOGIZAKA46 Mai Shiraishi Graduation Concert～Always beside you～」、11月15日の『乃木坂工事中』での26thシングル（2021年1月27日発売）の選抜発表と大きな変化が続きました。

白石さんの卒業コンサートは開演してすぐに涙がこぼれました。オープニングの映像に登場する、白石さんに憧れる少女と自分を重ね合わせてしまったんです。

白石さんと3期生12人で『逃げ水』を歌ったことも貴重な経験になりました。リハーサルから白石さんは「3期生は頼もしい」と何度も口にしてくださったので、卒業後も安心してもらえるようなパフォーマンスをしたつもりです。

白石さんへの感謝の言葉

3期生のパートでは、（大園）桃子、久保（史緒里）、私

から白石さんへの感謝の言葉を伝えました。３期生は歌番組やライブで見た乃木坂46に憧れてグループに入ったメンバーが多い世代ですが、その美しい姿や存在感は白石さんそのものだった、ということをお伝えしたかったんです。このコメントの時は感情があふれてもいいかなと思っていました。どんなに涙が流れてもすべてをさらけ出して、配信を見ているみなさんに熱い思いを伝えたかったから。

生田（絵梨花）さんのピアノ伴奏で白石さんが歌った『きっかけ』もたまらなかったです。フルで聴いたことで、白石さんはあんなに美しい上に歌もうまくて、改めてすごいなと感じて。生田さんが楽譜の余白に書いた白石さんへの感謝のメッセージにも感動しました。私たちも知らなかった生田さんからのサプライズだったので、次の曲の準備に行くタイミングだったんですが、思わずモニターの前に戻ってしまいました。

ライブ終盤に松村（沙友理）さんが読んだ手紙にもグッときましたし、１期生のみなさんのお互いを尊敬して認め合っている関係は家族のようだなって。

本編最後は『ガールズルール』で明るく締めたところも「弱さを見せない」白石さんらしかったです。アンコールで白石さんが歌った『じゃあね。』（25thシングルカップリング）は、みんなでモニターを見ながら号泣していました。白いドレスを身にまとった白石さんの姿は、消えてしまいそうなくらいはかなく美しかったです。

私自身はライブ中に涙を流すこともあったけど、最後は笑顔で終わることができたので、「悔いなく白石さんを送り出せた」と感じています。なにより、最後に白石さんとハグをした時の「これからもよろしくね」という言葉がうれしかったです。「これで終わりじゃないんだ」と思えたし、卒業しても憧れは変わりません。

26thシングルの選抜では、同期の山下美月がセンターに立つことになりました。山下はここ1、2年はドラマや写真集といったソロでの仕事を経験したことで自信がついたのか、仕事に対する意欲があふれ出ているように感じます。求められている自分が分かっていて、その期待に応えることができる山下なら、しっかりとセンターを務められるはずです。

卒業コンサートでは、白石さんのイベントなどでの写真が、乃木坂46結成から年代順に飾られていました。どれも私にとっても大切な思い出ばかりです。

フロントを背負う覚悟

私自身がフロントで山下の隣として名前を呼ばれることはまったく想像していませんでした。発表直後は同じフロントの久保と手を握り合って泣いていましたが、今はフロントというポジションを背負う覚悟ができました。みなさんには26thシングル期間の梅澤美波をしっかりと見てほしいです。

山下とは『映像研には手を出すな！』を通してお互いのことを深く理解し合える関係になったので、今なら山下を支えることができるはず。彼女が隣の私を見た時に、心が休まる存在でいたいです。

#32

2021年3月号

新曲の『僕は僕を好きになる』は歌うたびに少しずつ強くなっていけそうな楽曲です

乃木坂46の10カ月ぶりの26thシングル『僕は僕を好きになる』が1月27日にリリースされました。この曲のコンセプトは「自分自身を好きになること」だと受け止めています。私は自分の長所を探すのが苦手なんですが、この曲を通して、そんなマイナス思考を昇華して、歌うたびに少しずつ強くなっていきたいです。歌番組で披露するたびに思い入れが深くなっていくし、特に2番の「後になって冷静になれば／そんなに嫌な日々だったのか」という歌詞が心に響いていて、フルサイズでパフォーマンスする時は、より気持ちを込めて歌うことができています。

センターの山下から刺激を

初センターの山下美月は自信が出てきたというか、顔つきが以前と全然違っていて。歌番組で自分がカメラに抜かれる時の表情の作り方を、（振付師の）

Seishiroさんと話し合いながら研究している姿をよく目にします。「隣から支えたい」という気持ちはありますが、今のところは全く心配ないし、むしろ山下のたくましさに刺激をもらっているんです。

もちろん、私自身もフロントメンバーとしての自覚を持って活動しています。山下、シンメトリーポジションである久保史緒里、私の3人で乃木坂46を代表してインタビューに答える機会が増えているので、自分たちの発言がグループ全体の言葉になる責任の重さを感じています。

私個人としては、今年最初の大きな仕事が朗読劇『星の王子さま』でした（1月9日）。18年4月に、同作をモチーフにした舞台『星の王女さま』を3期生で上演したので、縁がある作品だなと感じています。以前は飛行士役だったのですが、今回の役は王子で、1つの物語を違う立場で演じる面白さがありました。

演出は、舞台『七つの大罪 The STAGE』でもお世話になった毛利亘宏さん。リモートで読み合わせたんですが、王子の演技はとても難しかったです。最初は、王子ならばと子どもっぽい高い声を作っていたんですが、どうもしっくりこなくて。悩んだ結果、自分のいつもの声で純粋に役に入り込むことを優先しました。そうしたら毛利さんから「2年前とは全然違う。いろいろと経験して揉まれてきたんだね」と褒めていただけて、とてもうれしかったです。また毛利さんのお芝居に参加したいという気持ちが強くなりました。

秋元先生からの一言に感謝

1月11日には『今日は一日〝乃木坂46〟三昧』がオンエアされました（NHK-FM）。メンバー総出演で、8時間30分にわたって乃木坂46の楽曲とトークを放送する内容。スタジオ入りの時間をずらしたり、リモートを駆使しつつも、ラジオ番組に全員が出演するというのは初めての試みで、コロナ禍でもまだまだ挑戦できることがあるんだなと感じました。

秋元康さんと電話で話す時間もあって、私からは「3期生のイメージはどう映っていますか？」という質問をさせていただいたんです。今の私たちに「乃木坂46らしさ」があるのかが気になっていたのですが、「もともと〝らしさ〟とは狙って作るものではなく、1期生もいろいろな個性が混じり合ったことで、ならではの色になっていった」というお答えをいただいて。「私も先輩方と同じ時間を過ごしていくことで、乃木坂46らしさが自然と身についていくんだ」と気付けて、肩の荷が少し軽くなったような気持ちになれたんです。

2月23日に無観客・配信で「9th YEAR BIRTHDAY LIVE」を開催することが発表されました。乃木坂46の大規模なライブは昨年10月の白石麻衣さんの卒業コンサート以来。この時期に開催する意味が伝えられるような、楽しいものにしたいです。

『僕は僕を好きになる』を歌番組で披露するたびに「次はここをもっと良くしよう」と話し合っています。

#33
2021年
4月号

「自信がない」とはもう言いません。少しずつでも自分を変えようとしています

乃木坂46は2月23日に「9th YEAR BIRTHDAY LIVE」を無観客の配信ライブとして開催しました。お話ししている今は、まだリハーサル中。ステージと映像が融合したライブになりますが、演出の方から「ここに映像が入ります」と聞いてもなかなかイメージが湧かずに、苦戦しています。ライブに先駆けて、26thシングル『僕は僕を好きになる』でフロントに立つ山下（美月）、久保（史緒里）、そして私の3人それぞれを追ったドキュメンタリー『僕たちは居場所を探して』（Hulu）が配信になりました。子どもの頃から、乃木坂46に加入直後、そして最近までを振り返る内容です。

涙するシーンの多さに驚き

悩みや苦しみなど弱さは見せないように意識してきたつもりでしたが、全編通して「あんなに涙を流していたんだ！」と驚きましたね。加入直後の初公演『3人のプリンシパル』でなかなか2幕に進めなかった時や、「3期生単独ライブ」でMC役に苦戦している姿もそう。今回の撮影でも、先輩たちが表に立ってやってきた役割を、私たち3期生が引き継いでいきたい。その強い気持ちはあっても、「どう動いたら

いいのか、明確な答えが見つからない」という葛藤を口にして涙を流しています。

雑誌のインタビューで同期の岩本（蓮加）が、『僕は僕を好きになる』の選抜について「梅澤と久保は自己評価が低い」と言っていました。その通りだし、変わらないといけないと思っています。

すでに少しずつでも自分を変えようとしていて、以前は口グセのように「自分に自信がなくて」と言っていましたが、もう表に出さないようにしています。

今回のライブのリハーサルでも変化があって、先輩方が少なくなり、3期生が4期生に振りを教えることも多くなりました。4期生の振りが違うなと感じても、去年までは遠慮して、ダンスの先生を通して伝えていたんです。だけど、「この振りはこうだったよね」と、その場でストレートに言葉にできるようになりました。リハーサルの時に気付いたことには積極的に声をあげるとか、頑張り方を変えていくことが大事なんだろうなって。一生懸命やるしかない。1つひとつの行動を積み重ねるしかないんだろうなと思っています。

私自身もそうだし、乃木坂46が変わろうとしている雰囲気は、3期生と4期生がコントに挑戦している『ノギザカスキッツ』（日テレ系）からも感じ取ってもらえるかと思います。前身の『乃木坂どこへ』の時から、4期生とさらば青春の光さんがやっていた番組に、昨年11月の『ACT２』から3期生が新たに参加しています。最初は、私たちがこのタイミングで合流する意味を考えて、「蓄えてきた力を見せないといけない」と燃えていました。でも、実際、コントに取り組むと分からないことがたくさんあって。舞台でのお芝居の延長線上にはあるんですが、デフォルメしながら演じることや、本番で飛び出す森田（哲矢）さんのアドリブに返していくのは難しいし、新鮮な気持ちになれます。

人生初めての男装に自信

4期生は、コントのキャリアでは私たちより先輩。本当に体当たりで頑張っているし、当然意地もあると思います。4期生はいい意味で遠慮がなくて（笑）、本気でぶつかってくるので、私たちも刺激を受けて、相乗効果が生まれているなと感じています。

1番印象に残っているコントは、男装をした回（2月23日放送）。実は人生初の男装でしたが、鏡で見てもしっくりきて「背が高くて良かった」って（笑）。収録前に森田さんに挨拶したら、最初は私だと気付かずに驚かれていたので、ちょっと男装に自信がつきました（笑）。

『ノギザカスキッツACT2』では『三番目の風』の刺しゅうが入った特攻服を着たことも。どんな役柄を演じられるか毎回楽しみです。

#34
2021年
5月号

『シンクロニシティ』のセンターでは、感情のメリハリをステージで感じたままに表現

今年は無観客の配信ライブとなった乃木坂46の「9th YEAR BIRTHDAY LIVE」。前半では、選抜、アンダー、期生を超えてシャッフルした2チームに分かれてパフォーマンスしました。そのブロックの『シンクロニシティ』でセンターを務めさせていただきました。オリジナルのセンターは白石麻衣さん。同じチームには、この楽曲のセンターを経験したことがある、(齋藤)飛鳥さんや(鈴木)絢音さん、さくちゃん(遠藤さくら)がいたので、私でいいのかなと不安がよぎりましたが、「もう弱音は吐かない」と切り替えて準備に入りました。決まってすぐに、飛鳥さんが「梅、シンクロのセンターだね!」と軽くイジりながらも(笑)、「大丈夫だよ」と声を掛けてくださったことで、気持ちが楽になったんです。

先輩たちの映像を見て研究

『シンクロニシティ』は泣いている振り付けもあれば、思い切り笑顔のところもある。白石さんはじめ、みなさんのセンターの映像を見て研究したけれど、誰のまねでもなく、その感情のメリハリをステージで

感じたままに表現しようと決めました。

何度も試行錯誤して練習を重ねたけど、本番直前の楽屋ではやはり緊張してしまって。ステージ袖に1人で立って精神統一していたら、さくちゃんが後ろからギュッと抱きしめてくれたんです。思わず泣きそうになりました。ライブ後に映像を見直すと「まだまだ」と感じる部分もありますが、あの時点の自分の100%を出し切れたパフォーマンスができたことは間違いありません。

ファンの方とのミート＆グリートでも、圧倒的に『シンクロニシティ』のセンターの話題が多くて。私がもともと白石さんに憧れて乃木坂46に入った人間であることを含めて「感動したよ」と言ってくださいました。

ライブの最後には、メンバー全員で、手書きのメッセージを掲げました。「わたしたちの熱量、伝わっていますでしょうか？ライブはやはり良いですね。同じ時間を過ごせて幸せです。目に焼き付けて下さい」と書きましたが、今年はコロナ禍のなかでも、乃木坂46にとって1大イベントの「BIRTHDAY LIVE」を途切れさせたくない、という気持ちが強かったんです。だから、〝わたしたち〟にはメンバ

ーだけでなく、開催に向けて調整を重ねてくださった、スタッフみなさんの熱意も含まれているんですよ。白石さん卒業後の初めての大きなライブでしたが、9年という歴史を重ねたグループとしての貫禄と、まだまだ上がっていけるという意気込みが伝えられたと手応えを感じています。

アンコールの『そんなバカな…』（7thシングルカップリング、13年11月）では、最後の全体ライブ出演となった、2期生の（堀）未央奈さんを送り出しました。未央奈さんは唯一無二の存在で、一緒にバラエティ番組に出させてもらった時もそのすごさを痛感して、学ばせてもらったことはたくさんあります。

未央奈さんの卒業は、お話ししている今はまだ開催前の、「2期生ライブ」（3月28日）を見て実感が湧くんだろうなと思います。その翌日の「1期生ライブ」は松村（沙友理）さんをはじめとして、プロデュース力が高い方ばかりなので、何が飛び出すのかワクワクしています。

「3期生ライブ」への熱意

その先には、5月9日に「3期生ライブ」も開催。『僕は僕を好きになる』を経て、1番結束力の高い時期にライブをできることがうれしくて、既にグループLINEでアイデアを送り合っているんです。1期生、2期生の先輩方のライブを見ることで、「3期生ライブ」に向けてより気合いが入っていきそうです。

「BIRTHDAY LIVE」の前日には、過去の映像で記憶をたどる「前夜祭」もありました。

#35

2021年
6月号

新センターは遠藤さくら。私たちは支える番なので、安心して自分を解放してほしい

6月9日にリリースする乃木坂46の27thシングルの選抜メンバーが、4月18日の『乃木坂工事中』で発表されました。私のポジションは2列目の下手から2番目。初めてのポジションではあるんですけど、これまでも1番下手が多かったのでしっくりきています。前作（『僕は僕を好きになる』）でフロントを務めた山下（美月）、久保（史緒里）、私の3期生3人が今作ではそれぞれ散らばったことで、グループの層の厚さを見せることができればいいなと思っています。

松村さんの卒業に思うこと

センターは4期生の遠藤さくらちゃん。24thシングル『夜明けまで強がらなくてもいい』でさくちゃんがセンターを務めた時は、4期生をお披露目するという意味合いもあったと思うんです。あの時の彼女には「自分がここにいていいのかな」という戸惑いもあったはず。

あれから1年半がたって、さくちゃんのパフォーマンスは目に見えて良くなりました。スタイルがいいから曲衣装が似合うし、カメラに抜かれた時の表情も強い。今回は今とこれからの乃木坂46を代表してセ

ンターに選ばれたと思うので、自分らしく頑張ってほしい。私たちはさくちゃんを支える番なので、安心して自分を解放してもらいたいです。

選抜発表の前には1期生の松村沙友理さんから「今回のシングルで卒業します」という報告がありました。松村さんは楽屋ではいつも笑顔で周りを明るくしてくださるんですけど、打ち合わせでは鋭い言葉を投げかける一面もあるんです。「さゆりんご軍団」をはじめとしてプロデュース能力が高く、いろいろな顔を見せてくれて、ずっと尊敬していました。『Ｒｏｕｔｅ ２４６』で松村さんと2列目の上手と下手でシンメトリーで踊ったときに、松村さんが「しっくりくる」と言ってくださったのは、忘れられないうれしい出来事でした。

これまで数々の先輩方の卒業ライブに参加してきましたが、いつも印象に残っているのは松村さんの泣き顔。今回は松村さんが感じてきたことを背負いながら、私たちが送り出すことができたらいいなと思います。

3月28日には「2期生ライブ」、翌29日には「1期生ライブ」が配信で開催されました。2期生のみなさんはパフォーマンス力が高くて、8人の団結力を感じさせる空間が生まれていたように思いました。1期生ライブは、事前に（秋元）真夏さんから「すごくふざけているから、2期生ライブとのギャップがすごい」と聞いていたんです。でも、笑いだけではなく、締めるところでは経験を積まれた1期生ならではの圧巻のパフォーマンスを見せる、大好きな先輩たちの姿がそこにありましたね。

5月9日には私も出演する「3期生ライブ」を開催します。2月から始まった「9th YEAR BIRTHDAY LIVE」の締めくくりを担うということで、乃木坂46の歴史をたどるようなライブになりそう。「グループを代表する曲をしっかり歌い継いでいきたい」、そんな意志を感じてもらえるパフォーマンスを目指してリハーサルに熱が入っています。

久しぶりの有観客ライブ

また、今回のライブは配信だけではなく、お客さんにも来場していただく予定。リハーサルでも、この曲の間奏ではこちらのステージ裾のお客さんにアピールを、次の曲ではその逆側に走っていこうとかみんなで考えていて、この感覚は久しぶりだなってテンションが高まっています。もちろん会場だけでなく、配信で見てくださる方たちにも満足していただきたいし、両立を目指すために、同期同士でしっかりと話し合っているところです。みんなすごく気合が入っているので、ご期待ください。

4月18日の「ノギザカスキッツLIVE」も楽しめました。オープニングではみんなコントの衣装で『ガールズルール』をパフォーマンスしました。

#36

2021年7月号

新曲『ごめんねFingers crossed』はクールで乃木坂46らしいナイーブさもあります

乃木坂46は6月9日に27thシングル『ごめんねFingers crossed』をリリースします。ダンスも歌詞も大人っぽくてクール。一見『Route 246』風なんですが、「今だってもちろん好きだけど」という一節には、強がっていても結局直接思いを伝えられていないという、乃木坂46らしいナイーブさを感じました。カッコよさの中に女性らしい「しなやかさ」もあって、髪の毛をバサッと振り乱すダンスは見どころです。

特徴的なのが2番の入り方。1サビが終わってから2Aがなくて、すぐにBメロに入るので、気持ちが途切れることなく、ずっと歌い続けているところにも注目してもらえるとうれしいです。

ミュージックビデオのテーマは「カーレース」。私が演じている役はスターターの女性で、スカーフを振るところが見せ場なんですが、実は本職はスカーフデザイナーで、自分がデザインしたスカーフをアピールしているという設定があるんです（笑）。

反抗心を歌った3期生曲

カップリングの3期生曲『大人たちには指示されない』は、平和な楽曲が多かった3期生が初めて反抗的な心を歌っています。センターは岩本蓮加。3年前に『トキトキメキメキ』というかわいい楽曲のセンターだった彼女が17歳になって、こうしたテーマで真ん中に立っていることが感慨深いです。

私は10代の頃を思い出すというよりは、22歳の今ならではの表現を目指しました。歌詞は学校への不満を歌っているけど、今感じていることに置き換えることでテンションを高めています。この曲での私のこだわりは〝視線〟。見ている方に強さを感じてもらえるように意識しています。

『大人たちには指示されない』を初披露した「9th YEAR BIRTHDAY LIVE～3期生ライブ～」を5月9日に開催しました。私たち3期生にとっては約4年ぶりの単独ライブです。

お客さんに会場に足を運んでいただき、配信と両方でお届けする予定だったのですが、直前に配信のみに。残念な気持ちはありましたが、3期生でライブができるという喜びがとにかく大きくて、誰も動揺はしていませんでした。スタッフさんと相談して、センターステージにみんなで集まって円になる演出や、声は出せずともお客さんと盛り上がっただろう楽曲『ハウス！』（2ndシングルカップリング、12年5月）などのセットリスト、会場のレイアウトまで一切変更はしませんでした。だからこそ、熱量を保つことができたと思います。

私たちが今回の「BIRTHDAY LIVE」のトリということもあり、このライブで目標に掲げたのが〝王道継承〟。衣装という切り口で乃木坂46の歴史を見せていくパートがあり、私が選んだのは、15年の『FNS歌謡祭』で『今、話したい誰かがいる』を歌った時の額縁風の衣装でした。上品でシンプルながら襟元の刺繍が目を引き、1度着てみたかったんです。

先輩方からのうれしい言葉

センターを務めさせていただいた『シンクロニシティ』は、本番前に白石麻衣さんから「見ているからね」と連絡をいただいたことで、さらに気合が入りました。また、ライブ後には生駒里奈さんからも連絡をいただいて、1期生曲の『Against』(20thシングルカップリング)のパフォーマンスを喜んでくださったんです。その言葉に「私たちはやりきることができた」と自信を持つことができました。

先輩方や私たち、そして後輩が期別に少人数で行った4回の「BIRTHDAY LIVE」。いずれも個人としての見せ場がとても多くて、乃木坂46のメンバーはみんな〝いつでもどこでも輝ける〟ことが示せたのではと手応えを感じています。

「3期生ライブ」でのカット。3期生は4年間、1人も卒業せずに12人のまま。全員が集まるとすごいパワーを放出するんです。同期への愛しさは増すばかりです。

#37

2021年
8月号

全国ツアー開催決定。今の乃木坂46も東京ドームにふさわしいグループと示したい

6月9日に発売した27thシングル『ごめんねFingers crossed』のヒット祈願として、6月13日に放送された『乃木坂工事中』で滝行に挑みました。「先輩方と比べて3期生と4期生は体を張るヒット祈願を経験していない」というイメージを変えたい気持ちがずっとあったので、最初に聞いた時は、「やらせてもらえるんだ！」という感覚でした。

一緒に滝行をするメンバーは同期の山下美月、4期生の賀喜遥香と田村真佑。4人で合計270秒耐えることを求められたのですが、3人ともガッツと責任感があるので、メンバーを知った時には達成できるだろうと思いました。

滝に打たれ自然に出た言葉

でも、いざ滝を目にしたら、その流れ落ちる水の勢いに怖さを感じてしまって。滝の前に立つと、水しぶきの圧だけで体が吹き飛ばされそうになるんです。それでもトップバッターを志願したのは、締めは前作センターの山下で、3期生で後輩の2人を挟んであげる形がいいなと思ったからです。

いざ滝に打たれると痛さや冷たさという感覚的なものよりは、気持ちで負けてはいけないという自分との精神的な戦いでした。そのなかで、自分の口から出たのがヒット祈願と「強い人になれますように」という言葉。心の底からの一言だったと思います。

続く3人も見事に成功しました。滝に打たれている時は、それぞれ震えていたり、涙ぐんでいたのでそれに心が動かされて。戻った3人にタオルを掛けたのは「守ってあげたい」という気持ちからです。滝行が終わるとみんなすぐに笑顔に戻って、スタッフの方からの「やり残したことはないですか？」という質問にも、「もっと滝に入ったほうがいいですか？」と返していたので、心強いなと感じました。

乃木坂46は2つ目の公式ＹｏｕＴｕｂｅチャンネル「乃木坂配信中」を5月からスタート、冠番組『乃木坂工事中』などを配信しています。6月10日に『乃木坂46分ＴＶ』を生配信し、このチャンネルで予定しているメンバー発のオリジナル動画のラインアップを発表しました。そのトップが、私のソロキャンプ動画です。昨年の『乃木坂46時間ＴＶ』に続いてのソロキャンプでしたが、台本もリハーサルもなく、現地に着いて5分もたたないうちにカメラが回り始めたので、バーナーの火力調整からあたふたしてしまいました（笑）。

コメントにすぐ動画で回答

完成した動画を見たら、想像以上に自分のテンションが高く、ずっとしゃべっていたり、リアクションを取り続けていることに驚きました。全部1人で進めないといけないという不安からそうなったんだと思います。でも、YouTubeのコメント欄には「ちょっとポンコツな一面もあるんだ」という書き込みが多くて、私の素の部分を見てもらうことができたのかなと感じています。

今回はアクアパッツァを作って、コーヒーを焙煎したのですが、「イサキ」と紹介して調理した魚が「違う種類では」というコメントが寄せられたので、すぐに「現在調査中です」というショート動画をアップしました。そんなふうに、ほぼリアルタイムで視聴者の方とやりとりできるのも、「乃木坂配信中」の強みなのかなと思います。

そして、『乃木坂46分TV』の最後には「真夏の全国ツアー2021」の開催も発表しました。2年ぶりの全国ツアーで千秋楽は東京ドーム。17年11月の東京ドーム公演は、加入から間もなく、余裕がなかったことしか覚えていません。当時は先輩たちについていくだけで精一杯だったけど、今回は能動的に盛り上げて、今の乃木坂46も東京ドームにふさわしいグループだ、と思ってもらえるようなライブにしたいです。

滝行の日は悪天候。滝までの悪路の移動だけでもかなりハードだったんですが、そこはバラエティのお約束として放送ではバッサリとカットされてしまいました（苦笑）。

#38

2021年
9月号

2年ぶりの「真夏の全国ツアー」は〃すべての席を神席に〃と初心に立ち返りました

7月14日から2年ぶりの「真夏の全国ツアー」が始まりました。実は26thシングル表題曲『僕は僕を好きになる』を、みなさんの前で歌うのはこれが初めてだったんです。歌番組では何度も披露させていただいたんですけど、改めて正確な振り付けでパフォーマンスをして、曲の良さを知ってもらおうと意識しました。

この楽曲はフロントを務めたので、直接見てほしい気持ちをずっと抱えていました。でも、リリースから約半年が経過してから有観客ライブで初披露して、「このタイミングでよかったのかもしれない」と思えたんです。リリース直後のパフォーマンスでは、いつもあの表現はもっとこうすればよかった、など後悔ばかりしているんです。でも、歌番組のたびに課題をクリアしてきた結果、今のスッと楽曲の世界に入り込めるくらいに体に染み込んでいるタイミングで見ていただけたので。

戻ってきたスピード感

大阪公演（大阪城ホール）、宮城公演（セキスイハイムスーパーアリーナ）を終えて、これまでの「真夏の全国ツアー」と違うと感じたのは、やはりお客さんからの声援がなかったこと。でも、ライブ特有の高揚感はあって。両会場ともアリーナの中央に花道があり後方ステージにつながっている作りで、宮城ではトロッコの演出も。ウチワに書かれたメッセージを見つけてリアクションするとファンの方は喜んでくださるし、アイコンタクトもたくさんできて、みなさんと1つになれた感覚があったんです。初めて先輩たちと同じステージに立った「5th YEAR BIRTHDAY LIVE」（17年2月）での演出の方からのアドバイス「すべての席を神席に」という言葉を久しぶりに意識して、初心に立ち返った気持ちもありました。

「真夏の全国ツアー」初日には28thシングルが9月22日に発売されると発表がありました。前作から約3カ月の間隔で、メンバー同士で「早いね」と話していましたが、よく考えたら2年前まではこのペースのリリースも多かったので、「スピード感が戻ってきた」という表現のほうが正しいのかもしれません。

また、7月19日から新メンバーの募集が始まりました。乃木坂46にとって、新しい風が吹くいいタイミングだと思います。真っすぐで乃木坂46が好きな新メンバーと一緒に活動していけたらうれしいですね。友達や姉妹と一緒に応募することもできるので、1人では緊張してしまう子もチャレンジしてほしいなと思います。

前を向かせてくれた桃子

一方で、同期の大園桃子は9月4日に卒業をします。このツアーの福岡公演の2日目、8月22日が最後のステージになります。

私たちが加入した頃の乃木坂46のイメージは「キレイなお姉さんグループ」だったけど、『逃げ水』で桃子と与田(祐希)がセンターになって、誰からも愛されて所作が美しい桃子を見て、結成直後に生駒(里奈)さんが続けてセンターに立っていた頃の乃木坂46が戻ってきたような感覚になったんです。

私個人としては、桃子に何度も支えられました。自分については悲観的なことを言いがちだけど、他の人には必ずプラスのことを伝えてくれる。私がマイナスなことを言うと、一旦全部受け止めてくれてから、「こういういいところもあるよ」と前を向かせてくれるんです。だから、桃子の前ではいつも本音で話すことができました。

卒業を発表したからといって特別に意識することもなく、桃子の近くにいます。ツアーの楽屋も隣の席で、それが当たり前の風景なんです。今の3期生なら桃子の卒業を乗り越えられるはず。みんな寂しさを感じつつ、しっかり前を向いているんです。

桃子とはいつもと変わらずにこんな雰囲気なんです。5年間、一緒に活動してくれたことに感謝しています。

新センターのかっきーは何でもできる優等生。でも、たまに見せる弱さも魅力です

乃木坂46は8月21日に結成10周年を迎えました。この取材をしていただいている今は、「真夏の全国ツアー2021」福岡公演での10周年セレモニーの直前です。私自身は加入して5年がたちましたが、当初は10周年の時の自分を想像もしていなかったので不思議な感覚ですね。

7月から始まった「真夏の全国ツアー2021」のセットリストは、ファンのみなさんから「夏ツアーで聴きたい曲」を、表題曲、カップリング曲、アンダー曲、ユニット&ソロ曲の4つのカテゴリーで募集して、その投票結果を反映しています。

先輩の新内さんに感謝

カップリング曲の3位は、私のセンター曲『空扉』。3年前に、舞台『七つの大罪 The STAGE - 裏切りの聖騎士長 - 』の出演が決まり、劇場版アニメ『七つの大罪』の主題歌にもなった楽曲です。カップリング曲にもかかわらずライブでも披露する機会が多くて、年々楽しみながらパフォーマンスできるようになっていました。自分のファンの方からは、「この曲が好き」とはよく伝えていただいていました

が、それだけでは3位になれないはず。『空扉』を求めてくださる方がこんなにたくさんいらっしゃるんだと、うれしさが込み上げてきました。

今回は2期生と3期生でのパフォーマンスだったことも新鮮で。フリーでわちゃわちゃするパートは先輩の新内（眞衣）さん、同期の山下（美月）、与田（祐希）、私で歌っています。新内さんが自然に距離を縮めてくれたから、私たちも積極的にライブならではの素を見せることができるんです。

ユニット&ソロ曲の1位は（齋藤）飛鳥さんと山下と私の『ファンタスティック3色パン』。昨年公開の映画『映像研には手を出すな！』の主題歌です。コロナ禍もあり披露する機会が少なかったので、正直悔しい気持ちを抱くこともありましたが、報われる瞬間になって、ずっと3人で一緒だった映画の撮影期間のことも思い出しました。歌詞に出てくるカスタード、チョコレート、つぶあんのパンがついている衣装も遊び心があって好きなんです。

28thシングル『君に叱られた』（9月22日発売）のポジションが『乃木坂工事中』で発表になりました。私は前回と同じ2列目の下手から2番目で、シンメは同期の久保（史緒里）です。久保とは以前から厚い信頼関係があって、お互いに真面目だと理解し合っているから、何かあれば頼ることがいうよりは、気付いたら対になっているという関係性なのかな。できます。『僕は僕を好きになる』でもフロントでシンメに立っていますが、2人で一緒のことが多いと

28thは笑顔が多い作品です

表題曲で初めてセンターに立つのは4期生のかっきー（賀喜遥香）。発表の時こそ震えていたけど、その後はすぐに堂々と振る舞うようになって、自分がすべきことを受け止めたんだと思います。

かっきーと2人でバラエティ番組に出たことがありますが、正統派アイドル的なルックスながらイジりやすさもあって、芸人さんはじめ出演者の方たちからすぐに愛されるんです。歌唱力があって、絵を描くのもうまくて、何でもできる優等生だけど、たまに弱さも見せるところも魅力だなと感じています。

『君に叱られた』は明るくて、圧倒的に笑顔が多い作品です。乃木坂46は切なさやクールさを重視した曲も多いからこそ、今回は笑顔が引き立つはず。私としてはクールな表情のほうがしっくりくるんですが、『しあわせの保護色』の頃から楽曲ごとの感情を「振り切って表現しよう」と気持ちが変わってきているので、笑顔を楽しみながらパフォーマンスしたいです。

「真夏の全国ツアー2021」名古屋公演での、大園桃子とのスナップです。この時期のツアーは、会場の熱気から「夏だ！」と感じます。

#40

2021年
11月号

28thシングル『君に叱られた』。〝怒られた〟と〝叱られた〟の違いを考えてみました

乃木坂46が9月22日にリリースした28thシングル『君に叱られた』。歌番組でのパフォーマンスをきっかけに、改めてタイトルの意味を考えました。ポイントは「怒られた」ではなくて、「叱られた」ということなんだろうなって。歌詞は、「いつもはやさしい君に大人になって初めて叱られた」という内容ですが、ただ感情をぶつけるのではなく、相手のことを思うからこその愛情のあるアドバイスが「叱る」なんだろうと解釈しました。

いつも曲の世界感に感情を重ね合わせるために、過去の経験を探るんですけど、今回は、愛を持って叱ってくれた先輩の姿が浮かんできました。3期生として初めて出演した歌番組で生駒(里奈)さんが、あの空間で1番キャリアが浅い私たちは、自分たちから共演者のみなさんにあいさつにうかがうべき、ということを教えてくださったことが記憶に残っているんです。

MVはドラマのように撮影

ミュージックビデオは映画祭の授賞式を舞台にした「誰でもヒロインになれる」というシンデレラストーリー。主人公はセンターのかっきー（賀喜遥香）で、私はトラブルに対応するアシスタントプロデューサーを演じています。監督は3期生曲『毎日がBrand new day』でもお世話になった横堀光範さん。作品の狙いを分かりやすく説明してくださるのでお芝居しやすかったです。

ドラマ仕立てのビデオではセリフの音声は入っていないんですが、私たちは台本をしっかり頭に入れて実際にしゃべってお芝居していました。贈り物になるはずだった〝ガラスの靴〟を忘れてしまったさくちゃん（遠藤さくら）とのシーンでは「はぁ⁉」と怒って、昨年の新人女優賞受賞者のマネジャーの与田（祐希）には「なんとか間に合うようにします」と謝っています。いつかセリフありの映像もみなさんに見ていただけたらいいな、と期待しています。

今回のシングルには、カップリングとして、3期生、4期生の高身長メンバーによるユニット曲『もしも心が透明なら』（梅澤、中村麗乃、早川聖来、松尾美佑）も収録しています。「身長の高さを生かせるユニットがあったらいいな」という思いを持ち続けていたんですが、ついに実現しました。

最初、衣装は全部ロングパンツの予定だったんですけど、フィッティング時に「ショートパンツも取り入れたほうがユニットの強みを出せるのでは」と感じて、私から提案させていただきました。現場で自分の意見を言葉にして、採用してもらったのは初めてで。それだけこのユニットに対する思いが強かったんです。

『もしも心が透明なら』はエレクトロ系のミドルナンバーで、心の内側をさらけ出すような歌詞。4人だけのユニットなので、ソロで歌うパートが多いんです。大人っぽさを意識して、地声を生かした低めの声で歌っています。さらに別テイクで収録した、ワンオクターブ高く歌った音源と、耳元でささやくように歌った声も乗っています。私の様々な声の形が合わさっているので、不思議な魅力を感じてもらいたいです。

後輩にお手本を見せる番

共演した4期生の2人は物怖じしない姿勢がいいなと思います。特に松尾ちゃんは加入から約2年ではハードルが高いであろう世界観にもかかわらず、動揺などは全く見せずにパフォーマンスしてくれました。私にとって最初のユニット曲は、若月(佑美)さんが結成した若様軍団(若月、山下美月、阪口珠美、梅澤)の『失恋お掃除人』だったんです。当時は若月さんが3期生の3人を引っ張ってくださったのですが、今回のユニットでは私が後輩のお手本になれたらいいなと思っています。

『もしも心が透明なら』のミュージックビデオは全編にわたってほぼずっと踊っています。私と麗乃ちゃんは水をかぶるシーンもあります。

#41
2021年12月号

『THE TIME,』では安住さんのツッコミでアドリブ力を鍛えてもらっています（笑）

10月1日から始まった朝の情報番組『THE TIME,』で月曜日のレギュラーを務めさせていただくことになりました。最新のエンタテインメント情報をお届けする駅の売店のような「TIMEスタンド」の店員さん役です。

最初の打ち合わせでは、番組のスタッフさんから「気負うことなく、笑顔で情報を伝えてほしい」という温かい言葉をいただきました。現場は生放送なので、急にニュースが入ると、2分予定のコーナーが30秒になってアナウンサーの方が臨機応変に対応したり、ものすごくスピード感があります。だからといってピリピリしているわけではなくて、みなさん笑顔で放送しているのがすごいなって。

2時前には起床しています

もちろん私も明るい雰囲気が伝わるように笑顔を意識していますが、それだけではなく柔軟性を求められる場面がたくさんあります。総合司会の安住（紳一郎）さんは、台本にはない急な振りが多いです（笑）。乃木坂46の新曲『君に叱られた』の情報をお伝えした時は、安住さんから「叱ってみましょうよ、カメラ

に向かって」と振られました（笑）。とっさに「早起きしないと怒るぞ。こら！」と返したんですが、楽しそうな空気感は出せたかなと納得しています。

安住さんからのツッコミは、そのたびに戸惑いはあるものの、必ずうまく拾ってくださる安心感があるし、アドリブ力が身につくのでありがたくて、もっと振ってほしいくらいです。「いつかニュース読みもやってね」と言ってもらえるようになったのは、少しずつ信頼してきてくださっているのかなと喜んでいます。

毎週月曜日のタイムスケジュールは、朝というか深夜2時前に起きて、3時にはTBSさんに入っています。メイクなどの準備をして、「TIMEスタンド」の店員さんとしてエプロンを着けているんですけど、いろいろな色を用意してくださっているので、スタイリストさんと一緒に気分に合ったカラーを選んでいます。

それから、その日に放送する食レポのビデオを撮るんです。そして、スタッフさんと打ち合わせをして、自分で資料を読み込んで、5時20分に生放送がスタートします。放送を見た新内（眞衣）さんからは「早朝なのに顔が全然むくんでないね」と褒めていただきました（笑）。

ただ、東京ドームでライブ（「真夏の全国ツアー2021 FINAL！」）がある11月21日は日曜日なので、翌日の放送は少し不安です。高山（一実）さんの卒業もあるので、目を腫らしたままの出演になるかもしれません。「昨日、ライブがあって」と臨場感が伝えられたらいいんですけど（笑）。

そして、乃木坂46は12月15日にベストアルバム『Ｔｉｍｅ ｆｌｉｅｓ』を発売します。コロナ禍でＣＤをリリースする難しさを感じてきたなかで、10年の歴史をたどった記念碑的な作品を制作できることに感謝しています。新曲も収録しますので、ずっと応援し続けてくださっている方たちに喜んでいただけたらうれしいですし、ベストアルバムをきっかけに乃木坂46を好きになってくれる方が増えたらいいなと思っています。

メンバーの自撮りで生配信

このアルバムのキャンペーンで、最後に「坂」がつく日本各地の駅にメンバーがポスターを貼りに行く予定です。ＹｏｕＴｕｂｅチャンネル『乃木坂配信中』で、秋元（真夏）さん、北野（日奈子）さん、かっきー（賀喜遥香）、私の４人で乃木坂駅にポスターを貼らせていただくところを生配信しました（10月10日）。メンバーの自撮りで中継した手作り感ある内容は『乃木坂配信中』らしさだったかなと思います。お近くに対象の駅がある方は、どこにポスターが貼られているか、探してみてください。

『THE TIME,』ではオールジャンルの最新エンタテインメント情報をお伝えするので、前日の夕方にはニュースをチェックして予習しています。

#42

2022年
1月号

生田絵梨花さんの卒業ソング『最後のTight Hug』は聴くと涙があふれてきます

乃木坂46はベストアルバム『Time flies』を12月15日にリリースします。メンバーごとにカスタムジャケット盤があり（Sony Music Shop限定）、ジャケットとアートワークに使用している衣装をメンバー自身でセレクトしているんです。私は16年に加入した直後の3期生制服を着用しました。自分のなかでこの衣装一択で、何者でもなかった自分を乃木坂46のメンバーにしてくれた、思い出深いアイテムでした。今回は成長を伝えるために、「現在」と「初めの1歩」との対比を見せたくて、メイクなどはあえて今の自分のままにして、当時には寄せていません。

加入前に衝撃を受けた衣装

アートワークに使用した衣装の1つは額縁の装飾

風の刺繍が入っている「額縁衣装」。加入前に歌番組で乃木坂46を見たとき、洗練されたデザインに衝撃を受けました。「だいたいぜんぶ展」（19年1月～5月開催）でも、この額縁衣装と『シンクロニシティ』の衣装だけが選抜の人数分並んでいて、「乃木坂46の代表的な衣装なんだ」と感じたことを覚えています。

2つ目は17年の『NHK紅白歌合戦』で『インフルエンサー』をパフォーマンスしたときの衣装です。先輩方のおかげで立つことができた大舞台が、自分にとってのターニングポイントになりました。

『Time flies』にはこれまでの28枚のシングル表題曲がすべて収録されていますが、個人的に思い入れが深いのは『インフルエンサー』です。選抜メンバーではありませんが、初めて参加させていただいた表題曲なので、ジャケット写真を見るだけで当時の情景が浮かんできます。当時の自分にとって、あのダンスは本当に難しくて、泣きながら振り入れをした記憶があります。初心に帰ることができる曲なんです。

生田絵梨花さんの卒業ソング、『最後のTight Hug』も新曲として『Time flies』に収録しています。「君の未来を変えてしまうことはできないってこと／責任とかじゃなくて／そんな勇気ないだけだろう」という歌詞は胸に刺さりました。別れを経験した方なら誰もが共感できると思います。こうした切ない歌詞を、温かく優しいメロディーに乗せているこの楽曲は、聴くと涙があふれてきます。

作曲は杉山勝彦さん。杉山さんが手掛けられた乃木坂46の楽曲は、アルバムのリード曲となった『きっかけ』や『ありがちな恋愛』など、大事なライブなどで歌われて、愛され続けてきた作品ばかり。『最後の『最後のTight Hug』もそうした作品になるんだろうなと思います。

ミュージックビデオは、とある村の祭りの日に、旅立っていく生田さんへの気持ちを踊りで伝える、という設定。言葉を交わすのではなく、旅立ちへの祝福と切なさをダンスだけで表現することが難しくもあり、やりがいのある作品になりました。

誰よりも笑顔の生田さん

撮影中、感情がこみ上げてしまうことも多かったんですけど、誰よりも生田さん自身が笑顔で楽しんでいたので、私を含めてみんなが明るい気持ちで踊ることができました。生田さんと目が合うと、その笑顔に引き込まれて、温かい気持ちになれるんです。

生田さんはアイドルの可能性をどこまでも広げてくれました。ミュージカル出演はもちろん、歌番組でのミュージカル俳優の方たちとの歌唱に圧倒されたことが印象深いです。それでいて親しみやすさもあって。みんなを巻き込んでおふざけしたり、個人的にも唐突にじっと見つめられたり、お茶目な部分もありました（笑）。

12月14日、15日に横浜アリーナで開催される生田さんの卒業コンサートでは、笑顔で送り出したいと思います。

『最後のTight Hug』の衣装はメンバーごとにデザインが少しずつ異なります。みんなの思いを1つにすることで美しくなる振り付けだと思います。

#43
2022年
2月号

真夏さんの担われているものを一緒に背負いつつ、副キャプテン像を探っていきます

乃木坂46は2021年11月20日、21日に「真夏の全国ツアー2021 FINAL!」東京ドーム公演を開催しました。約4年前の東京ドーム公演は、オープニングで460人の女子高生と一緒に踊ったり、派手な演出が多い印象でした。でも、今回の演出は比較的シンプルで、自分たちのパフォーマンスだけで見せることができたのはグループとしての成長なのかなと思います。

その約1週間後に、私が乃木坂46の副キャプテンに就くことが発表になりました。これまでも「責任感を持ってグループを引っ張っていく目線で活動してほしい」とスタッフさんから言われることはあったので、いつかはまとめ役にという心積もりはありましたが、乃木坂46に「副キャプテン」という新しい役職が出来たことに1番驚きました。

目に見える変化は少ない

キャプテンの（秋元）真夏さんからは「副キャプテンを受け入れてくれてありがとう」という言葉を掛けていただいて。でも、副キャプテンという役職に明確な役割があるわけではないんです。あくまで真夏

さんをサポートする立場だと思うので、急に今までと違う新しいことを始めたり、いつまでに何かしなければいけないと焦るのは違うのかなと考えています。

なので、すぐに目に見える変化は少ないのかなと思います。これまで通りに、自分が気づいたことがあれば積極的に声をあげたり、ライブでMCを任せていただければ頑張るという活動を続けていくなかで、副キャプテンとして、常に周りのことを考えてくださる真夏さんの背負われているものを少しでも自分と分担できる方法を探っていきたいと思います。

12月14日、15日には生田絵梨花さんの卒業コンサートが開催されました。その少し前に、ベストアルバム『Time flies』発売を告知する「全国の坂のつく駅にポスターを貼りに行くキャンペーン」で、生田さんと、遠藤さくらちゃんと3人で愛知県を旅したことで、グッと距離が縮まったんです。本当に楽しくて、YouTube（「乃木坂配信中」にて配信）で公開している動画以外の時間もずっと笑い合っていました。仲良くさせていただくのが遅かったかもしれないけど、ギリギリ間に合ったのかなって。いい思い出を作ることができました。

そのぶん、コンサートは寂しかったけど、生田さんのすごさを体感する時間にもなりました。約3時間のライブはほぼステージに立ちっぱなしで、新しく振りを覚える曲に挑戦したり、卒業ソロ曲『歳月の轍』（ベストアルバム収録）をピアノ弾き語りで歌ったり、「生田さんに限界はない」と感じました。どこまでも自分を追い込んで、常に全力で、それでいて謙虚なんです。開演前には、私たちに「時間がないなかで準備してくれてありがとう」と感謝の言葉を口にしてくださいました。

一緒にパフォーマンスさせていただいた3期生曲『三番目の風』では、生田さんがオリジナルの振り付けにこだわってくださいました。3期生1人ひとりとのペアダンスも生田さんの希望を反映した形でうれしかったです。

生田さんに尋ねたいこと

『シンクロニシティ』は、センターを私から曲の途中で生田さんにバトンタッチする形でのパフォーマンスでした。

これまでも大舞台でセンターを経験させてもらった楽曲なので、いつもと違う緊張を感じながら自分なりの表現に全力を尽くしました。でも、なぜ最初から生田さんがセンターではない演出なのか、というのは生田さんにもスタッフさんにも聞く勇気がなくて（苦笑）。いつかまた生田さんにお会いした時には、どんな解釈でパフォーマンスされていたのかを聞いてみたいと思っています。

生田さんの卒業コンサートでは、ライブで初めて『最後のTight Hug』をフルで披露することで、この曲のメッセージをしっかりお伝えできました。

2022年3月号

『紅白』の『きっかけ』はみんなの気持ちが同じ方向に向かうようによく話し合いました

昨年末は、乃木坂46のことをよく知らない方々にも私たちを見ていただく機会が続きました。まず、12月30日は『輝く！日本レコード大賞』に出演し、優秀作品賞に選んでいただいた『ごめんねFingers crossed』を披露しました。

勢いは抑えて繊細さを意識

ゲストの「東京2020オリンピック」卓球女子団体で銀メダルを獲得された平野（美宇）選手が「この曲を聴かせてもらって、メダルを獲得することができました」と話してくださった『シンクロニシティ』も私のセンターで披露したんです。この曲はライブでは感情が高ぶって動きが大きくなっても、それが勢いとしてプラスに作用することがあるけれど、『レコード大賞』は生演奏。統一感に欠けたところは粗さとして目立ってしまうので、指先の細かい部分まで意識してパフォーマンスしました。

総合司会は安住（紳一郎）アナウンサー。毎週お会いしている『THE TIME,』でのユーモアあふれる感じとはまた違って、堂々とした進行のおかげで、とても安心できました。

大みそかの『NHK紅白歌合戦』では、アルバム（『それぞれの椅子』）のリード曲『きっかけ』を披露しました。最初は生田（絵梨花）さんを最後のセンター曲『最後のTight Hug』で送り出すのかなと思っていたんです。なので、『きっかけ』に決まったと聞いて驚きでした。

『きっかけ』は激しく踊る振り付けではありません。だけど、きれいなメロディーと聴いた方の背中を押す歌詞は、初めて聴く方の心にも響くだろうという自信はありました。これまでの紅白のリハーサルは振りを固めていくという印象がありましたが、今回はみんなの気持ちが同じ方向に向くようによく話し合いました。乃木坂46らしい、優しく温かみのあるパフォーマンスができたかなと思います。

本番ではピアノを演奏する生田さんの表情をずっと見ながら歌っていたんです。涙をこらえながらピアノを弾いて、パフォーマンスが終わり涙があふれ出た瞬間、「今日で乃木坂46の生田さんは最後なんだ」と実感しました。

元日の夜は家族を招いて、手料理を振る舞ったんです。メインはすき焼きで、煮物などの副菜も作りました。よくケータイでは話しているものの、家族みんなとゆっくり過ごせる時間は貴重で、幸せな時間になりました。

1月6日で23歳になりましたが、個人として「もっと攻めの姿勢を持ちたい」と考えています。昨年は『THE TIME,』への出演を通して、乃木坂46で「朝の情報番組のレギュラー」という道を開拓できたことが新たな自信につながりました。今年はもっと「梅澤美波」という名前を知ってもらえるように自分から仕掛けていきたいし、さらに新しいジャンルにも挑戦していきたいです。

先輩としての意識を高める

これまでは、バラエティに出演する際には、（秋元）真夏さんや高山（一実）さんといった先輩とペアで出演することが多かったけれど、今後は後輩と一緒に出ることが増えるはず。5期生も加入するので、私が先輩たちから学んだように、後輩に背中を見せることも意識したいなと思っています。

先日、5期生のメンバーと初めて対面する機会がありました。1人ひとりが自己紹介してくれましたが、みんな堂々としているんです。私たち3期生が名前と出身地を言うだけで涙ぐんでいたのとは違うなって（苦笑）。ファンのみなさんの前でも楽しみながら表現ができる後輩たちだろうと期待しています。

紅白の出演後、生田さんとはお別れの挨拶ができたんです。「3期生のことが好きだったよ」といううれしい言葉にグッときてしまいました。

#45

2022年4月号

29thシングルのセンターは5期生・中西アルノちゃん。真夏さんと支えていきたいです

乃木坂46は3月23日に29thシングル『Actually…』を発売します。センターには、加入したばかりの5期生・中西アルノちゃんが選ばれました。私たち3期生や4期生の時は加入して半年ぐらいたってから夏のシングルでセンターに抜てきだったので、今回のスピード感には驚きました。

副キャプテンの私のポジションはフロントの1番下手で、シンメの上手にはキャプテンの秋元真夏さんが立ちます。アルノちゃんは3期生や4期生の時とは違って単独センターなので、抱えるプレッシャーは大きいかもしれませんが、真夏さんと私が両脇でサポートしていくという役割が明確なポジションなので、安心してほしいです。『Actually…』はカッコよくて、どこか艶やかさも感じさせる曲。詳細はまた次号でお伝えします。

楽しかった「妄想結婚式」

2月10日には、新内眞衣さんの卒業セレモニーがありました。卒業イベントは寂しさに包まれることが多いんですけど、お客さんに笑顔になってもらいたいという新内さんの気持ちが込められた内容だったと思います。

特に、新内さんがパーソナリティーを務めていたラジオ番組『乃木坂46のオールナイトニッポン』（ニッポン放送）とコラボレーションした、「妄想結婚式」は楽しかったです。新内さんが新婦役で、リスナーさんから募集した〝乾杯のご発声〟をメンバーが代読するのですが、数年後に行われるであろう妄想なので、メンバーみんな役作りが細かくて。早川聖来ちゃんは「2人の子どものお母さん」という設定でキャラを作っていました（笑）。

一方で、楽曲のパフォーマンスでは胸に響く演出が多かったです。『ハルジオンが咲く頃』は、新内さんと私のWセンターでステージに立ちました。少し前に、「私は最後まで梅の良さを伝えたい」と言ってくださったことを思い出して、身長の高い2人だからこそできる見せ方を意識しました。

フロントに3期生と4期生の最年長・吉田綾乃クリスティーと弓木奈於ちゃんを選出した『太陽ノック』（12thシングル、15年7月）でも、グループで最年長だった新内さんらしい気配りを感じました。

アンコールでは、新内さんに宛てた手紙を読ませていただきました。何度も書き直したけど、本番直前に「やっぱり納得いかない」と最初から書き直したんです。手紙に書いたように、新内さんには支えてもらってばかりで、後輩として何もお返しすることができなかった後悔があります。そもそも新内さんは自分が悩んでいる姿を見せない先輩だったので、寄り添うこともできなかったんです。そのぶん、4期生、5期生に新内さんから救わった温かさを伝えたい。そして、新内さんとのつながりは途絶えることなく、妄想ではない本当の結婚式で『インフルエンサー』を踊りたいです。

飛鳥さんの涙に心打たれる

2月12日に開催した星野みなみさんの卒業セレモニーでは、みなみさんと（齋藤）飛鳥さんが2人のユニット曲『制服を脱いでサヨナラを…』（12thシングルカップリング）を披露した際、飛鳥さんが泣きながら「もうちょっと2人で頑張れると思った」とつぶやいた場面にグッときました。

若い時からペアを組んでいて、時間の経過とともに関係性が変わって特別な存在になっていく。そんな尊い関係がうらやましかったです。日頃は感情をあらわにせず、これまでもたくさんの寂しさを我慢してきたはずの飛鳥さんだからこそ、尊い涙だと思いました。

私もたくさんの卒業ライブを経験して改めて感じたのは、残ったメンバーがまた前を向いて一緒に進んでいこうと思えるようにということ。喪失感を感じてしまっているメンバーがいたらサポートできる存在になりたいです。

星野みなみさんの卒業セレモニーは、自分に関するクイズコーナーなど楽しい時間もたくさんありました。みなみさんならではの、ほほ笑ましい空気感でした。

#46

2022年5月号

『Actually…』の振り付けは〝群〟の印象が強くて、一体感を感じています

3月23日にリリースした29thシングル『Actually…』を『テレ東音楽祭2022春』や『シブヤノオト』などで披露させていただきました。振付師のSeishiroさんによる力強いダンスは『インフルエンサー』以来かと思います。これまでの振り付けより〝群〟のイメージが強くて、乃木坂46としての一体感が表現されているのかなと思います。

私自身は〝意思の強さ〟の表現を意識しています。これまでとは体の使い方が違うみたいで、振り入れの時は首が筋肉痛になってしまいましたが、パフォーマンスを重ねるうちに耐性がつきました。

3月20日に乃木坂46のYouTubeチャンネルにアップされたミュージックビデオは、ダンスの精度が上がった状態で撮ったので、メンバーみんな緩急のついたパフォーマンスを見せています。ドローンを駆使しながら新宿・三角広場で昼と夜に分けて撮影したんですけど、昼は自然光を味方につけて、夜はオレンジの

照明で幻想的な雰囲気のなか、2つの世界観でパフォーマンスしました。1日中踊っていくうちに表現が研ぎ澄まされていった感覚があります。

うれしい同期の楓の躍進

『Actually…』は攻めの姿勢を感じる楽曲ですが、カップリング曲はバリエーション豊か。新しさと、変わらないもののバランスが取れていると思います。

2001年度生まれのメンバー8人による『価値あるもの』は、杉山勝彦さん作曲で乃木坂46の王道といえるメロディー。期を超えて、同学年でユニットを組めることがうらやましいです(笑)。ミュージックビデオでのセンターの久保(史緒里)のしなやかな動きや、さくちゃん(遠藤さくら)のかわいらしさなど、ずっと乃木坂46に関わってくださっているLicoさんによるメンバーの個性を生かした振り付けも見どころです。

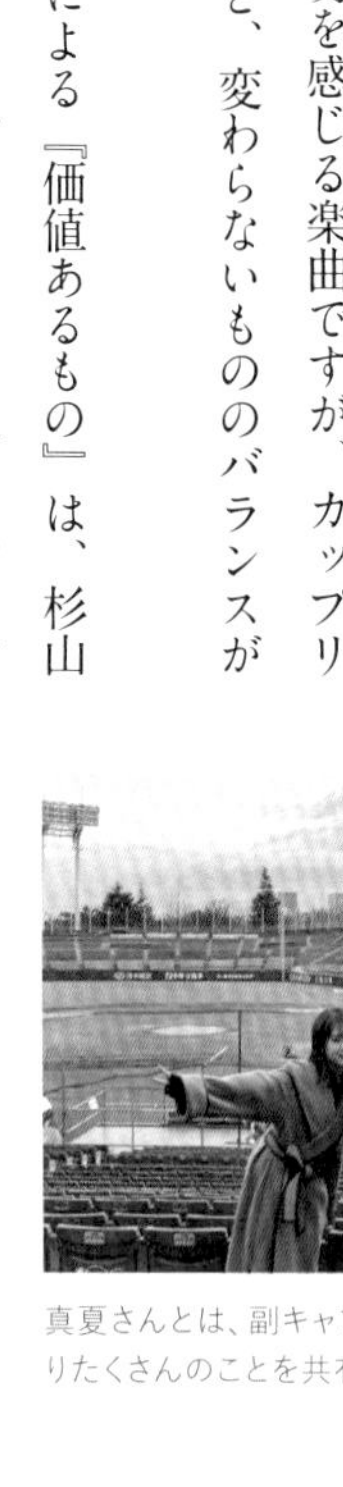

真夏さんとは、副キャプテンになってすぐの頃よりたくさんのことを共有し合うようになりました。

独特なリズム感がクセになる『深読み』は、「そんな深読みをするなんて無駄だ」など、先入観を勝手に持たないでほしいというような歌詞が、センターの(齋藤)飛鳥さんを描いているようだと感じました。本人は否定するかもしれませんが(笑)。

クールなアンダー曲の『届かなくたって…』は親友の(佐藤)楓がセンター。楓がずっと努力してきて、得意なスポーツを生かして注目を集める機会が増えてきたタイミングで、アンダーセンターに選ばれたことは本当にうれしいです。ミュージックビデオの冒頭で、静止していたポーズから、まるでマネキンが動き出すような演出は楓にピッタリだと思います。この曲のフロントは、長身でスタイルがいい弓木（奈於）ちゃんと（金川）紗耶ちゃん、甘い顔立ちの（阪口）珠美と（佐藤）璃果（りか）ちゃんがそれぞれシンメになっていて、バランスがいいなと思います。

今シングルでグループを卒業される北野日奈子さんのソロ曲『忘れないといいな』は、落ち着いたメロディーに、日奈子さんのかわいらしい歌声が乗っていて、優しさや温かさを感じました。活動期間の写真を効果的に使ったミュージックビデオは、日奈子さんを撮り続けてきた伊藤衆人監督だからこその映像です。

深まった真夏さんとの仲

ゲームアプリ『乃木恋』の企画でキャプテンの（秋元）真夏さんと旅をして、いろいろ語り合いました。乃木坂46にとって聖地と呼ばれている明治神宮野球場から旅をスタートして、改めて「またこのステージに立ちたい」という気持ちが強くなりました。今の目標はもちろん、5月の日産スタジアムでの「10th YEAR BIRTHDAY LIVE」の成功ですが、その先には再びこの地に戻りたいということは忘れていないので、ファンのみなさんには待っていてほしいです。

「29thSGアンダーライブ」千秋楽の会場で肌で感じたステージと客席の一体感

この春は有観客のイベントでたくさんの元気をもらいました。「東京ガールズコレクション 2022 SPRING／SUMMER」（3月21日開催）にはモデルとして、そしてレギュラー出演している情報番組『THE TIME,』のリポーターとしても参加させていただきました。出番はモデルとしてランウェイを歩くほうが先。2年ぶりの有観客で、久しぶりにボードを掲げて応援してくださる方たちを目にすると楽しい気持ちになりました。

松村沙友理さんとの再会

そこから気持ちをパッと切り替えて、ステージ袖でリポーターに。約半年間ご一緒している『THE TIME,』のスタッフさんと、「このモデルさんにはこういう質問をしよう」と打ち合わせをしてから臨むことができたので、満足のいく結果になったと思います。モデルとして出演されたOGの松村（沙友理）さんを待ち伏せして、久しぶりの再会もできました。変わらずピチピチでかわいらしかったです。その後、乃木坂46のメンバーとしてステージでパフォーマンスも行い、充実した1日になりました。

3月27日に開催された「29thSGアンダーライブ」の千秋楽は、会場（ぴあアリーナMM）で見ることができました。配信もありましたが、どうしても有観客ライブの熱を現地で感じたかったんです。

座長の（佐藤）楓からはリハーサルでの苦労を聞いていたし、北野日奈子さんの卒業コンサートを含めて4日連続のライブだったので、千秋楽では体力も集中力も限界に近かったはず。そんななかでも、クオリティーの高いパフォーマンスを見せたメンバーたちを尊敬します。同期の阪口（珠美）がセンターの『Sing Out!』は、美しいダンスに初選抜曲への思い入れを感じて涙が出ました。4期生も堂々としていて、（金川）紗耶ちゃんセンターの『Route 246』は髪の毛の使い方にまで目がいくパフォーマンスで、ライブで映えるなと思いました。

一方で、1期生の（和田）まあやさんと2期生の（山崎）怜奈さんからは貫禄を感じました。まあやさんセンターの『女は一人じゃ眠れない』（18thシングルカップリング）は鳥肌が立ったし、『届かなくたって…』での怜奈さんと楓のダンスにはゾクゾクしました。

ライブ終盤で、まあやさんが「もっと歌いたい」とステージで提案して全員で『きっかけ』をアカペラで歌ったり、お客さんの拍手が鳴り止まずに急遽Wアンコールを披露したり、奇跡的な場面に立ち会えて興奮しました。私だったら躊躇していたかもしれないけど、リアルな気持ちを抑えることなく発言するまあやさんはすごいです。副キャプテンとして乃木坂46のライブを客席から見ると、面白いMCの時はファンのみなさんは声を出せずとも会場が優しい雰囲気に包まれたり、改めてライブ全体の流れと会場の一体感を肌で感じる貴重な経験になりました。

そして、いよいよ5月14日、15日の日産スタジアムでの「10thYEAR BIRTHDAY LIVE」の開催が迫ってきました。乃木坂46にとって年に1度の大切なイベントで、今回は10周年という大きな節目でもあります。これまでの楽曲を振り返っていくライブなので、ずっと応援してくださっている方には響くように、初めてライブを見る方には「これが乃木坂46」と伝えることができるようにしたいです。

たくましさを感じる4期生

日産スタジアムはあまりに広いので会場をイメージすることが難しくて、リハーサルはなかなか大変です。私も気になるところは確認するようにしていますが、（早川）聖来や（清宮）レイちゃんが自分の意見を積極的に発言してくれるので、4期生にたくましさを感じるようになりました。5期生が加わって、パワーアップした乃木坂46をお見せしたいと思います。

アンダーライブでのスナップです。ダンスにこだわった『Wilderness world』（26thシングルカップリング）のカッコよさにも驚いた、再発見の多い素晴らしいライブでした。

#48

2022年7月号

白石麻衣さんと一緒に踊った『シンクロニシティ』では自然と涙があふれてきました

乃木坂46は「10th YEAR BIRTHDAY LIVE」を5月14、15日に日産スタジアムで開催しました。

2日前から始まった現地でのリハーサルはずっと雨。これまでのライブで雨が多かった私たちらしいなと思いつつ、初めての会場なので距離感をつかむために本番と同じように動いたんです。

7万人の会場での開催が決まった時は不安もあったので、雨の上がった満員の客席の景色に感動しました。ライブは（秋元）真夏さんの挨拶から始まったので、同期とモニターを見ていたのですが、最初から涙が出てきたんです。あんなに気持ちがたかぶった自分に驚きました。

OGたちのプロ意識に刺激

今回のBIRTHDAY LIVEは10周年の大きな節

目ということで、卒業したOGのみなさんが出演してくださいました。初日に来てくださった生駒（里奈）さんは乃木坂46の土台を作り上げた方で、（伊藤）万理華さんはアンダーライブを確立させた方。リハーサルを見ながら「これが乃木坂46の原点なんだ」と感動しました。

3期生の私が生駒さんと万理華さんと一緒に活動した最後の世代なので、加入したばかりの5期生はもちろん、接点がなかった4期生もお2人のプロ意識に刺激を受けたのではないかと思います。

2日目は西野（七瀬）さん、白石（麻衣）さん、生田（絵梨花）さんが登場されて、アンコールには高山（一実）さんと松村（沙友理）さんも参加されました。

自分にとって乃木坂46を好きになった原点である白石さんと10周年の節目で一緒に『シンクロニシティ』を踊ることで、改めて「白石さんがいなかったら、私はここにいないんだ」という思いが胸に込み上げました。現在は『シンクロニシティ』のセンターに立たせていただくことが多いので、受け継いだ時の葛藤を振り返りつつ、この約1年半、責任感を持ってこの曲のセンターを務めてきたから、白石さんの近くに堂々と立つことができたんだと思うと、自然と涙があふれてきました。

ステージ裏で、白石さんに「頑張ってるね」とハグしてもらったことがうれしかったです。改めて白石さんのセンターを目にして、少しでもその形に近づけることを目指してきたけど、それはやはり白石さんしか表現できない。まねではなく自分なりのパフォーマンスを突き詰めたいと思います。

私は『ハルジオンが咲く頃』と『空扉』でセンターを務めさせていただきました。『ハルジオンが咲く頃』はオリジナルセンターの深川麻衣さんが卒業された後のＢＩＲＴＨＤＡＹ ＬＩＶＥでセンターに立ち、新内眞衣さんの卒業セレモニーではＷセンターで歌った思い入れが深い曲で、深川さんと新内さんのことを考えながらパフォーマンスしたんです。『空扉』は野外ライブに合う楽曲なので、会場のボルテージを高めようと盛り上げました。みなさんの熱量が私の緊張をほぐしてくれたんです。

深まった乃木坂46への愛

２日間のＢＩＲＴＨＤＡＹ ＬＩＶＥを通して、乃木坂46の根本は10周年を迎えても変わっていないということをお見せできたのではと思います。特に２０１１年から２０１６年までの楽曲を中心に構成した１日目のセットリストは、オリジナルメンバーはほとんど卒業されています。今の乃木坂46を見せつつ、ファンの方の過去の思い出も鮮明によみがえるステージにできたのではという手応えを感じています。

２日間で全81曲を披露して日産スタジアムを走り回りましたが、乃木坂46への愛がより深まりました。副キャプテンとしてみんなを守りつつ、先輩から学んできたことを後輩に継承して、15年、20年と次の大きな節目も前向きに迎えられるグループにしたいです。

日産スタジアムは走っても走っても目的地に着かなくて想像以上の広さ。初めてのBIRTHDAY LIVEだった5期生たちも堂々と頑張りました。

卒業される山崎怜奈さんの背中を見た後輩たちが頼もしく成長しています

7月19日の大阪公演から乃木坂46「真夏の全国ツアー2022」がスタートします。今年は7都市15公演と過去最大級。9年ぶりの北海道公演や7年ぶりの広島公演など、私も真夏の全国ツアーで初めて訪れる都市があるので、ワクワクしています。すでにリハーサルが始まっていますが、5月の日産スタジアムでの「10th YEAR BIRTHDAY LIVE」を経験した〝今の乃木坂46〟ならではのパフォーマンスをお見せしたいです。

2期生の山崎怜奈(れな)さんが、全国ツアー前の7月17日に卒業されることが発表になりました。実は、私がグループに入って、初めてご飯に誘っていただいた先輩が怜奈さんなんです。卒業発表後にお話をする機会があり、その話題になったら、怜奈さんから「3期生単独ライブ(2017年5月)を見て、梅のことが印象に残ったから声を掛けたんだよ」と教えてくれました。当時は、「同期をまとめないといけないけど、思うようにいかない」と焦ってばかりだった私の悩みを聞いてくださって、心を救ってくださったんです。

ソロ活動が増えた4期生

乃木坂46のメンバーがソロでも活躍する場を開拓してくださったのも怜奈さんでした。歴史やクイズ、ラジオなど、幅広い才能を生かした場を楽しみながらも、乃木坂46の看板を背負って責任感を持っていた姿に憧れていました。

怜奈さんが卒業される一方で、その背中を見て勇気をもらった後輩たちが頑張っています。4期生の北川悠理ちゃんのように、怜奈さんに続いてクイズ番組で活躍するメンバーも現れました。

5期生が加入して先輩になった4期生は個性を生かして、ソロで活躍するメンバーが増えました。6月7日に発売された賀喜遥香ちゃんの写真集『まっさら』はたくさんの方に読まれていますし、バラエティ番組『ラヴィット！』（TBS系）では清宮レイちゃんが天真爛漫な笑顔を振りまいています。弓木奈於ちゃんは『ヒルナンデス！』（日テレ系、6月9日放送）のクイズコーナーでマイペースな珍回答でスタジオを笑いに包んでいましたし、金川紗耶ちゃんが『MUSIC BLOOD』（6月17日放送）で得意のダンスを生かして『日常』（22thシングルカップリング）のセンターを堂々と務めたのもうれしかったです。

一方で、5期生メンバーは、私が加入した直後の頃に比べると、みんな堂々とトークができて、いい意味で「新人らしさ」を感じないんです。一ノ瀬美空ちゃんは、とっさに空気を読んでボケることができたり、私が何年もかけて覚えたことがもうできているので。

ライブ前に5期生から質問

「10th YEAR BIRTHDAY LIVE」では、井上和ちゃんと五百城茉央ちゃんからMCの相談を受けました。私が顔を洗っていると、後ろから「相談があるんです」と話しかけられて。「誰だろう？」と振り向いたら五百城ちゃんだったんです（笑）。タイムスケジュール表通りにMCをどう収めるか悩んでいたけど、「まずは思ったことはすべて言葉にしたほうがいいよ」と伝えました。

和ちゃんにはライブ冒頭でのMCを「どんなテンションで話せばいいですか？」と聞かれたので、「自分のなかで1番上のギアに入れて明るくがいいかな」と答えたんです。本番で明るくハキハキとしゃべる和ちゃんを見て、「何の心配もいらないな」と安心しました。

このライブのときは、私から5期生に「返事をするときはもっと大きい声を出したほうがいい」とアドバイスしたんです。私たち3期生も、加入したばかりの頃に生駒里奈さんからそう指摘を受けて、みんなの意識が高まったことがありました。5期生メンバーには、基本をしっかり身につけたうえで、伸び伸びと活動してほしいと思います。

『MUSIC BLOOD』では秋元康総合プロデューサーへ質問するコーナーも。私は『命は美しい』の歌詞のテーマについてお聞きしました。

#50

2022年
9月号

『好きというのはロックだぜ!』でセンターのかっきーはナチュラルな人間味が魅力です

乃木坂46は30thシングル『好きというのはロックだぜ!』を8月31日にリリースします。センターはかっきー(賀喜遥香)。28th『君に叱られた』以来、2度目となります。

笑顔でガンガン踊る夏曲

この楽曲は明るい夏ソングで、かっきーをはじめ、メンバーみんなで最大級の笑顔を振りまいています。表題曲としては久しぶりにWARNERさん(『ガールズルール』『命は美しい』を担当)が振りを付けてくださいました。現在は、ガンガン踊るこの曲を7月19日から始まる「真夏の全国ツアー2022」で初披露するために、振り入れの真っ最中。ライブの定番曲になる予感がしています。今は心の中での掛け声になりますが、ぜひファンのみなさんにも一緒に盛り上がっていただきたいです。

センターのかっきーは、写真集『まっさら』が大ヒットして勢いがあるし、彼女が笑っていればメンバーみんなも自然と幸せな雰囲気になるんです。ステージのパフォーマンスもMCも、ナチュラルで人間味があるところが魅力だと思います。

初センターのときは少しプレッシャーを感じていたようです。不安になると目が泳ぐので、すぐに分かります（笑）。でも、今回のミュージックビデオの撮影現場では、みんながかっきーの周りを囲んでいい空気が生まれていました。この曲はそれぞれのメンバーが目立つポイントもあるので、かっきーだけでなく、みんなで30thという区切りの楽曲を背負っていきたいです。

私は2列目の真ん中で、（秋元）真夏さんと並んでかっきーを支えます。キャプテンと副キャプテンになってから楽屋でも自然と隣に座ることが多くなって、先輩と後輩の関係を超えてイジり合ったりできる関係になれたんです。

初めて選抜に入ったメンバーが金川紗耶ちゃんと弓木奈於ちゃん。紗耶ちゃんは、加入当初は感情のコントロールがうまくできないこともあって、ずっと気にかけていました。人一倍努力をしてパフォーマンスを磨いて、その頑張りを誰もが認めるような存在になって、ベストなタイミングで選抜をつかみ取ったと思います。

奈於ちゃんはバラエティ番組にソロで出演するたびに結果を残してすごいなと思っていました。今後、

『乃木坂配信中』では、新大久保に行ったことがなかったので、自分で企画を出しておきながら、3人からお薦めスポットを教わりました（笑）。

選抜メンバー複数人で番組に出ても、変わらず「弓木ワールド」を展開してほしいです。

同期とJKの制服で配信

公式YouTubeチャンネル『乃木坂配信中』では、私が企画した「今だけJK!? 仲良しメンバーで新大久保いってきた！」が配信中です。同期で仲のいい岩本（蓮加）と阪口（珠美）、（佐藤）楓とのゆるい食べ歩きは配信向きだと思ったんです。

食べ歩くだけでなく、「JKの制服」という要素を足すことで、ファンの方に楽しんでいただける映像になったと思います。私も念願だった青シャツを着ることができました。私の学校は白シャツだったのですが、仲のいい友達の高校が青シャツでずっと密かに憧れていたんです。

中学生で乃木坂46に入った岩本と阪口に「学校帰りに寄り道する」気分を味わってもらえたら、という狙いもありました。そして、「自撮りしているときのキラキラした阪口を見てほしい」という気持ちもあったんです。阪口はカメラが回るとアイドルモードのスイッチが入るんですが、私としては素の彼女も見てほしくて。ふてくされた表情もかわいいんです。

『乃木坂配信中』は定期的にメンバーから企画を募集するので、普段からアイデアをメモにストックしています。メンバーが自分で撮って編集したラフな動画が増えてもいいのかなと思います。みんなの新たな一面をぜひ動画から見つけてください。

#51

2022年10月号

9年ぶりの北海道での全体ライブでは1期生さんとマネジャーさんが涙していました

乃木坂46は30thシングル『好きというのはロックだぜ！』を8月31日にリリースしました。ミュージックビデオは夏休みの予定に迷うかっきー（賀喜遥香）が脳内会議をする設定で、それぞれの「人格」をメンバーが演じています。私は「行動力人格」としてキャンプをするシーンがあって。いつの間にか「梅澤美波＝キャンプ」というイメージがついたみたいで、ジャケット写真でも私の近くにランタンが置いてあるんです。

アドリブで演じた人格会議

それぞれの人格が会議をするシーンは、ミュージックビデオではセリフは聞こえないんですけど、収録はアドリブで声を出して演じていました。「芸術肌人格」を演じた弓木（奈於）ちゃんは「ゴッホとみなさんは知り合いですか？」といつもの天然なしゃべりを始めて、思わず笑ってしまいました。

ダンスシーンを撮影したのは羽田空港のロビー。使用できる時間が限られるため、朝早くから撮り始めました。後ろに飛行機が見える開放的な空間で踊るのは、新鮮な体験でした。

カップリングの3期生楽曲『僕が手を叩く方へ』は、メロディーも歌詞も乃木坂46の王道といえる作品。こうした曲を任せてもらえるようになったんだ、とうれしくなりました。

歌詞は歌いながらグッとくるフレーズが多いです。特に「ほらね／ここへ来られただろう」というパートは今の3期生と重なって、これまでの数々の活動がフラッシュバックしました。

今は、「真夏の全国ツアー2022」の真っ最中。初日（7月19日・大阪城ホール）から『好きというのはロックだぜ！』を披露しています。最初は振りがまだ体に染みついてない状態だったので不安もありましたが、公演を重ねるごとに体が自然に動いて、表情も柔らかくなって、いいパフォーマンスに仕上がっていると思います。

福岡公演（7月30日、31日・マリンメッセ福岡）から、観客のみなさんには、この曲中にタオルを振ってもらっています。これまでは歌番組で何度か披露してからライブでお見せすることが多かったんですけど、今回は逆にライブで磨いたパフォーマンスをこれから歌番組でお見せできると思います。

パワーアップしたトロッコ

ステージは海をイメージしたセットが組まれていて、イルカがデザインされたピンクのトロッコがお気に入りです。これまでのトロッコはシンプルなものが多かったんですけど、（秋元）真夏さんの提案でかわいくなったんです。ライブの世界観が客席にまで広がるし、イルカのトロッコに乗るとテンションが上がるんですよ。

ライブの中盤は、公演ごとにセンターが変わるユニットで歌っています。1期生と2期生の先輩たちが「3期生と4期生のことをもっとみなさんに知ってもらおう」とスタッフさんと会議をして、メンバーを割り振って、構成を考えてくださったんです。

私は『太陽に口説かれて』（2ndアルバム収録）『魚たちのLOVE SONG』（12thシングルカップリング）『かき氷の片想い』でセンターに立たせていただきました。曲ごとに見せ方を研究して、センターの重みを感じながらも楽しんでパフォーマンスできました。特に4期生にとっては、あの緊張感を味わうことが大きな経験になったと思います。

8月11日、12日の真駒内セキスイハイムアイスアリーナは、乃木坂46全体のライブとしては9年ぶりの北海道公演でした。終演後、結成から乃木坂46に関わってきたマネジャーさんと1期生さんが「9年前はZepp札幌をいっぱいにできなかったけど、こんなに大きい会場を満席にできて、頑張ってきてよかった」とウルウルしていたんです。私たちは当時を体験していないけど、先輩方の表情を見て「この思いをつなげていかないといけない」と感じました。

久保史緒里がセンターの3期生楽曲『僕が手を叩く方へ』のMV撮影時のスナップ。加入から6年たった私たち3期生の素が描かれています。

#52

2022年11月号

神宮の『僕が手を叩く方へ』でのクラップでみなさんと強い一体感が生まれました

乃木坂46は「真夏の全国ツアー2022」東京公演として、8月29日〜31日に、3年ぶりに明治神宮野球場でライブを開催しました。この会場は、乃木坂46の聖地であり、私たち3期生にとっては原点の場所です。2017年の神宮ライブでは、加入したばかりの私たちの生声から始まるという貴重な経験をさせていただいたんです。今回、ライブ前の楽屋で同期のメンバーたちと、当時の緊張を懐かしむ話をしていました。

初日のアンコールでは、『CDTVライブ！ライブ！』の中継が入って全メンバーで『好きというのはロックだぜ！』をフルでパフォーマンスしました。30曲を歌った後の中継だったからこそ、会場の熱いライブ感が伝わったはずと手応えを感じています。

2日目は、ライブで過去1番と言えるくらいの土砂降りでした。神宮の雨は嫌いではないので、「久しぶりに味わう感覚」とプラスに捉えて、滑りやすくなっている足元に注意しつつ、髪の乱れは気にせずパフォーマンスしました。

舞台裏は大変で、メイクさんがステージから戻ったメンバーの髪を代わる代わるドライヤーで乾かしてくださって、またすぐステージに出るとびしょ濡れになる、の繰り返しでした（笑）。

堂々とした蓮加のセンター

一転して晴天に恵まれた3日目は、3期生ブロックが心に残りました。1曲目は『思い出ファースト』。夏の風を浴びながら歌っていると歌詞が心にしみてきました。9月4日が私たちの加入日なので「もうすぐ6周年」と、それぞれのメンバーたちが感じていたと思います。センターの（岩本）蓮加は本番前こそ珍しく緊張していましたが、みんなの気持ちを背負って堂々としたパフォーマンスを見せてくれました。

次の『僕が手を叩く方へ』は、みなさんが思いを込めて一緒にクラップしてくださったように感じました。いつもライブでは「曲の世界を届けよう」と意識することが多いのですが、この曲は過去の自分と重ね合わせると自然と感情が入るんです。今後、「3期生の代表曲」となるように育てていきたいです。

ライブの最後、かっきー（賀喜遥香）の「乃木坂46が大好きです」という言葉に涙が出ました。彼女は全国ツアー15公演で毎回スピーチの時間があったのですが、舞台裏でメモとにらめっこしている姿が印象的でした。かっきーの言葉は素直で感情が乗っているから、ファンの方にもメンバーにも心に刺さるんです。

このスピーチの後、『君に叱られた』で（秋元）真夏さんと顔を見合わせるパートがあるんですけど、お互いに泣き顔でした（笑）。きっとスピーチを聞いて同じ気持ちになったのだろうなと思います。

かっきーだけでなく、今回のツアーを通して4期生みんなの成長を感じました。舞台袖で5期生に声を掛けて、たわいない会話で自然と緊張を和らげている姿を目にして、3期生と4期生が引っ張っていくであろう乃木坂46の未来に不安はなくなりました。

久しぶりの舞台出演が決定

2023年2月から5月にかけて上演する舞台『キングダム』への出演が決まりました。私が演じる楊端和は、男性を率いる凛とした力強いキャラクター。今まで演じてきた役とは違った難しさがあるんですけど、ファンの方から「イメージにピッタリの役だね」という反応もあったので、期待に応えられるような役作りをしていきたいです。

副キャプテンに就任してからはグループ全体を見ることを優先してきました。稽古を含めて舞台の期間も、乃木坂46の活動はおろそかにしたくないと思っています。舞台とグループ活動を両立させる責任感を持って、来年の5月までやり遂げたいです。

神宮直後の3期生のスナップ。初日は『三番目の風』、2日目は『僕の衝動』もパフォーマンスしました。

#53

2022年12月号

アンダーライブでは3期生の表情からライブ全体を引っ張っていく意志を感じました

「乃木坂46 30thSGアンダーライブ」の東京公演（9月27日〜29日、立川ステージガーデン）を観覧しました。映像で見ることもできるけど、現場の熱とメンバーたちの頑張りをじかに感じたかったんです。

1曲目の『Under's Love』（30thシングルカップリング）で紗幕に映像を投写する演出が好きで、スクリーンに映し出されたメンバーの表情に注目していたんですけど、本編最後にもう1回この曲をパフォーマンスしたことで、生身のダンスが印象に残りました。

楽曲の新たな魅力を発見できるのがアンダーライブの醍醐味だと思います。今回でいえば、『ポピパッパパー』（13thシングルカップリング）の振り付けをアレンジしたことで、また違う楽曲のように感じました。全体のライブにもフィードバックできそうです。

同期である3期生の顔つきからは、ライブを引っ張っていく意志を感じました。吉田綾乃クリスティーがマネジャーさんに「歌としっかり向き合うライブにしたい」と話しているのを聞いていましたが、その後、吉田と中村麗乃と向井葉月でスタッフさんに相談して、本番さながらのリハーサルを行ったそうです。

メンバーたちの新たな魅力

グッときたのは、同期の阪口珠美と麗乃、葉月が歌う『口約束』（2ndアルバム収録）。後輩の4期生たちが、高校生時代の3人を演じるように制服姿で踊ったことで、加入当初の彼女たちを思い出したんです。もちろん4期生も頑張っていました。林瑠奈（るな）ちゃんは見たこともないカッコいい表情をしていたり、黒見明香（はるか）ちゃんはMCでたくさんしゃべっているし、新たな発見がたくさんありました。

卒業を控えて、最後のアンダーライブとなる和田まあやさんのパフォーマンスは、改めて、ついていきたくなる背中だなと感じました。カッコよく踊ったかと思えば、MCでは信じられないくらい面白いトークをするオールラウンドプレーヤーなんです。

まあやさんは1期生の先輩なのに距離を感じることがなくて、いつも後輩に寄り添ってくれました。一緒にご飯を食べて、プリクラを撮ったこともありました。同じ学年ということもあって、「梅ちゃん」呼びで近くに来てくださるんです。「みんなで『梅ちゃんってすごいよね』と話してるんだよ」と言ってもらったことがありました。まあやさんの言葉はいつもウソがないからこそうれしかったし、あの一言が私の活力になっています。

副キャプテン同士で対談

10月から、朝の情報番組『THE TIME,』の月曜レギュラーが2年目に突入しました。最初こそ緊張が上回っていましたが、今は早起きにも慣れて楽しむことができています。

トーク番組『TOKYO SPEAKEASY』(TOKYO FM)では、『THE TIME,』のレギュラー仲間でもあり、副キャプテン同士でもある、櫻坂46の松田里奈ちゃんと対談させていただきました(10月18日放送)。生放送のうえに台本がないので、「ダンスの練習はどのくらいしている?」「息抜きの時間は?」など、質問をリストアップしておいたんですけど、まつりちゃん(松田)は社交的で1投げ掛けたら10返ってくるので、楽しくおしゃべりできました。

お互いのグループの楽曲をリクエストし合うという企画では、櫻坂46さんの『誰がその鐘を鳴らすのか?』をお願いしました。櫻坂46さんの好きな曲はたくさんあるけど、グループとしてのターニングポイントになった楽曲で、私が欅坂46さんのラストライブを見た時にみなさんの思いが伝わって涙を流したこの曲を選びました。

まつりちゃんとは生放送が終わってからも、副キャプテンとしての動きを話したり、ご飯を食べに行く約束もしました。これからもお互いに相談し合える関係が築ければと思っています。

まつりちゃんとのスナップ。櫻坂46のみなさんの冠バラエティでの前向きな姿を見習いたいです。

#54

2023年
1月号

31stシングル『ここにはないもの』は卒業を発表された「飛鳥さんっぽい」楽曲です

「乃木坂46は12月7日に31stシングル『ここにはないもの』をリリースします。そして、センターの齋藤飛鳥さんが参加される最後のシングルになります。活動は2022年末まで、そして23年に卒業コンサートを予定しています。

卒業については、シングルの選抜発表の際に飛鳥さん自身が全メンバーに伝えてくださいました。乃木坂46に11年間もいてくれたことへの感謝の気持ちが1番強かったけど、もっと一緒にいたかったという感情もありました。

『ここにはないもの』の「寂しさよ／語りかけるな」ときっぱりと言い切る歌詞は、表向きはクールに強がっているけれど、内面は寂しがり屋の主人公の気持ちを歌っています。すぐに「飛鳥さんっぽい」と思いました。

生田絵梨花さんの卒業ソング『最後のTight Hug』は、デモを聴いたときからウルッときたんですけど、『ここにはないもの』はまた違うタイプの楽曲です。パフォーマンスを通して、寂しさが一気に込み上げてきました。

生配信で初パフォーマンス

初披露は、飛鳥さんの卒業が発表された翌日の『乃木坂配信中』(11月5日、オフィシャルYouTubeチャンネル)の生配信でした。東京スカイツリーが見えるソラマチタワーの屋上という場所と、いつもの乃木坂46の映像チームのみなさんが制作してくださった安心感で、まるでライブ会場のような感覚でした。「これが卒業コンサートなのでは」と勘違いしてしまうほど、気持ちの高まりがあったんです。夜空の下の屋上で踊るというロケーションは開放感があって、生の感情をお届けすることができたのではと思います。

振付師は『ごめんねFingers crossed』や『Wilderness world』を手掛けられているLICOさん。「乃木坂46らしさ」がある振りだからスッと体に入って、気持ちよく踊ることができます。飛鳥さんをセンターに、他のメンバーが斜めに並ぶキレイなラインの美しさに注目してほしいです。LICOさんの振り付けで踊る飛鳥さんが好きで、今回もしなやかさのなかに強さが垣間見えるんです。

選抜には、3期生の阪口珠美が8作ぶりに、4期生の林瑠奈は初めて加わりました。珠美は、ずっと真っすぐに頑張ってきた同期の1人。歌番組では女性らしいしなやかなダンスに目を奪われる方が多いのではと思います。林は、「30thSGアンダーライブ」で見せた歌声やラップが魅力的で勢いがあるので、幅広く活躍してくれる予感がしています。

歌番組では『ベストヒット歌謡祭』(11月10日)が初披露でした。生配信でみんなのイメージを統一することができていたので、いいパフォーマンスをお見せできたのではと思います。

とてもありがたいことに、乃木坂46は『第73回NHK紅白歌合戦』に出場させていただくことが決まりました。飛鳥さんの乃木坂46での活動は、卒業コンサートを除くとこの『紅白』が最後です。残りほぼ1カ月しかありませんが、その後、飛鳥さんとは照れくささもあって、たわいもない会話ばかりで、卒業については話せていません。

ミステリアスな飛鳥さん

飛鳥さんは本当に変わらずいつも通り。映画『映像研には手を出すな!』の撮影で距離が近くなって、1人の「かわいらしい人」と思えるようになりました。でも、ミステリアスな部分もずっとあって、そこが飛鳥さんの魅力だと思います。一緒にいると私だけ不自然なくらい高いテンションになってしまって、空回りばかり。活動最終日までには感謝の気持ちを言葉でお伝えしたいのですが、どうしても難しくて、まるで飛鳥さんに片思いをしているような気分なんです(笑)。

『ここにはないもの』の衣装でのスナップです。白い衣装は卒業ソングならではのフォーマルな印象です。

お互いにダメなところもさらけ出せた関係の秋元真夏さんの卒業が発表になりました

乃木坂46はありがたいことに、2022年の大みそかも『NHK紅白歌合戦』に出演させていただきました。紅白での『裸足でSummer』（15thシングル）はラストステージとなる齋藤飛鳥さんを中心にメンバーが次々と入れ替わって、一体感がありながら、メンバーの個性も伝わる演出だったと思います。

全員でのパフォーマンスは移動が難しくて、何度も練習しました。また、『裸足でSummer』は踊り慣れている曲だからこそ、メンバーごとにニュアンスの違いが出てしまうので、改めてキレイにそろえることにも力を入れたんです。

紅白の日に、飛鳥さんと2人だけで話すことができました。私の気持ちがあふれ出してしまったけど、飛鳥さんはいつものようにちゃかすことはなく受け止めてくれたんです。気づいたら2人とも泣きながら話をしていました。

真夏さんの思いを感じる

飛鳥さんを見送って年が明けた1月7日に、今度は秋元真夏さんの卒業が発表になりました。私に限ら

ず、メンバー全員が真夏さんに寄り掛かっていたので、卒業を聞いて不安になりました。でも、11年間も乃木坂46に尽くしてきた先輩を引き留めることはできません。それに、年明けに発表したことから真夏さんの「まずは飛鳥さんを送り出すことに専念しよう」と考えていた思いを感じました。

21年11月から私が副キャプテンになって、キャプテンの真夏さんとの距離がグッと近づいたんです。私にとって弱音も聞いてもらえる数少ない人が真夏さん。逆に、真夏さんが泣いている姿もたくさん見てきました。今ではお互いにダメなところもさらけ出すことができる関係になったんです。

乃木坂46は、2月には5日間連続で「11th YEAR BIRTHDAY LIVE」を開催します。期生別ライブのトリ（2月25日）は、私たち3期生のステージです。メンバーみんなで話し合っていますが、特に昨年後半にアンダーライブで活躍していた（伊藤）理々杏や（向井）葉月の意見は勉強になりました。単に歌いたい曲ではなく、過去とリンクさせて成長した今の私たちを見せるにはどうすればいいのか、という必然性のある提案をしてくれたので。

そして、最終日は真夏さんの卒業コンサートです（2月26日）。どんな形になるのか分かりませんが、真夏さんが主役のライブになってほしい。私たちが担ぐので、真夏さんは何も背負うことなく楽しんでもらえたらと思います。

ライブのリハーサルと並行して、舞台『キングダム』（2月5日〜）の稽古が続いています。4年ぶりの舞台なので本読みから緊張しましたが、「このドキドキこそ私が求めているもの」と改めて感じました。舞台特有の声の出し方を思い出してからは、堂々とお芝居ができていると思います。乃木坂46としてたくさんのステージを踏んできたことが、舞台度胸につながっているんです。

刀を使った殺陣に苦戦中

舞台『キングダム』は、生身の人間だから見せることのできるアクションが見どころの1つ。でも、刀を使った殺陣は初挑戦なので苦戦中です。流れで覚えてしまい、「その動きだとダンスっぽく見えてしまう」と指摘を受けました。1つひとつの所作にメリハリをつけようと心掛けています。

ライブのリハーサルと舞台の稽古を並行して行うのはキツいかなと覚悟していましたが、いざやってみると気持ちが奮い立って、両方の現場にいい影響を与えています。どちらも全力を出して本番で爆発させたいです。『キングダム』からの流れで、「11th YEAR BIRTHDAY LIVE」ではどのメンバーよりギラギラしているかもしれません（笑）。

紅白出演時のスナップです。山内惠介さんのパフォーマンスでは、きつねの耳を付けた「きつねダンス」のコラボレーションにも出演させていただいて、メンバー同士で「かわいい」と褒め合っていました。

#56

2023年
4月号

キャプテンとして〝乃木坂46が大好き〟という気持ちを大切に行動していきたいです

乃木坂46は3月に32ndシングルをリリースします。穏やかなメロディーで、聴き心地のいい曲になっていると思います。

選抜メンバーが『乃木坂工事中』（2月19日放送）で発表になりました。センターは同期の久保史緒里と山下美月の2人。19thシングルのカップリング曲『不眠症』でのWセンターから、2人はずっと心の炎を絶やすことなく、山下は朝ドラ『舞いあがれ！』に、久保は大河ドラマ『どうする家康』（共にNHK）に出演が決まり、ソロでの活躍も目立ちます。なるべくしてなったWセンターだと思います。

メンバーは「仲間であり、ライバル」ですが、久保と山下は切磋琢磨し合いながら、自分を追い込みすぎることなく、乃木坂46を引っ張ってほしいです。

7人の初選抜は必要な変化

このシングルの初選抜は4期生から2人（佐藤璃果、松尾美佑）、5期生から5人（五百城茉央、一ノ瀬美空、井上和、川﨑桜、菅原咲月）の計7人。デビューシングル以外では最多の初選抜人数です。みなさんは驚かれたかもしれませんが、私は必要な変化だと受け止めました。これまでのように新選抜が2～3人だと声を掛けやすいけれど、今回は人数が多いぶん、意識してコミュニケーションを取りやすい環境を作りたいです。

私のポジションは2列目の上手から3番目。隣の2列目のセンターは5期生の井上和ちゃんです。YouTubeで最初に紹介された5期生が和ちゃんで、その後も注目され続けていますが、周りの期待に応えられるだけのビジュアルとパフォーマンスを兼ね備えています。責任感の強さが長所だけど、気負いすぎずに楽しんで活動してほしいです。

もちろん、研修生を経て4期生として乃木坂46に加入した璃果ちゃんと美佑にも期待していて。最近のアンダーライブのパフォーマンスでもその熱が伝わってきて、「私もこの気持ちを忘れてはいけない」と感じていたので、アンダーで頑張ってきた2人が選抜に入ったことがうれしいんです。

璃果ちゃんは前シングルで選抜入りを逃した悔しさをバネにしたと思います。美佑は選抜入りに動揺していたので、私から「自分の実力を認めてあげていいんだよ」と伝えました。

大きく変化する乃木坂46

そして、卒業される秋元真夏さんから引き継いで、私が乃木坂46のキャプテンに就任することが、2月22日の「11th YEAR BIRTHDAY LIVE」DAY1で発表になりました。

真夏さんの卒業が決まってからは「いつかキャプテンになる日が来るのかな」「でも、私は副キャプテンのままで後輩がキャプテンになるパターンもあるかもしれない」など、いろいろと考えていたんですが、キャプテン就任をスタッフさんから聞いた瞬間は動揺してしまいました。それは、自分が乃木坂46を背負うことへの怖さが一気に現実となったからです。私たち3期生が1番先輩となり、大きく変化していくグループに対して、何をすべきなのか。真夏さんを近くで見てきたので、キャプテンとしての動き方は分かっていたつもりだけど、その答えはすぐに出なくて。

乃木坂46が大好きという気持ちは、今までもこれからも変わりません。その思いを大切にして、キャプテンとしてどんな選択をすればグループにプラスなのか、冷静に考えて行動していきたいです。

また、メンバーの1人としてもこれまで同様、与えられたポジションで最善を尽くします。「キャプテンだから」ではなく、「梅澤美波だから」という観点から選んでもらえるように、という気持ちも持ち続けたいです。

舞台『キングダム』の東京公演が千秋楽を迎えました。公演を重ねるなかで、セリフの言い回しや、セリフがないときの表情など、改善点を見つけて演技を磨いています。

#57
2023年5月号

『人は夢を二度見る』は久保と山下の異世界にいるような動きに注目してください

2月22日から5日間連続で横浜アリーナで開催した「乃木坂46 11th YEAR BIRTHDAY LIVE」は、マスクを着用のうえでの声出し解禁の場になりました。初日に私たちが登場した瞬間に起きた、ファンのみなさんの地鳴りのような歓声には鳥肌が立ちました。

初日のアンコールで私のキャプテン就任が発表されました。不安を隠すことはできないし、むしろ隠さなくていいと思って、ありのままの心境をしゃべったんです。無理に強がって本心と違う受け取られ方をされてしまうよりは、キャプテンとしての道を作っていく過程そのままを見てもらおうと思いました。

4期生が掛けてくれた言葉

この日のライブが終わってから、4期生たちに掛けてもらった言葉に心が救われました。(北川)悠理は「力になりたいです」と言ってくれたし、(松尾)美佑が「頑張りすぎないでください」と私の好きなお香をプレゼントしてくれたり、おかげで「プレッシャーを感じている場合ではないな」と気持ちを切り替えることができて、後輩たちには感謝しています。

2～3日目の5期生、4期生ライブは、どちらも心が動かされる素晴らしいものでした。特に4期生ライブでは『ファンタスティック3色パン』（オリジナルは齋藤飛鳥、山下美月、梅澤）をかっきー（賀喜遥香）センターでパフォーマンスしたり、最近は私がセンターで披露させていただくことが多い『シンクロニシティ』のセンターが美佑だったり、〝次の世代に引き継がれていく〟ことが感じられてうれしくなりました。

私たち3期生の4日目のライブは、7年目ならではのたくましさを出したくて、11人が堂々と歩いてくるところから始めたんです。

曲をじっくり聴いてもらいたくて、1曲目から荘厳なアレンジをつけました。私のセンター曲『空扉』は、まだ加入間もなかった3期生5人がフロントを務めた特別な曲。そんな思い出深い曲を、1番上の世代になった今の3期生で歌うことに意味があったのではと思います。

そして、最終日は（秋元）真夏さんの卒業コンサート。アンコールでは、真夏さんから私への手紙が読まれました。「乃木坂人生、最後のお願いです」という前置きがあって、「梅のことを全力で支えてください」という言葉に涙してしまいました。真夏さんとは「落ち着いたらご飯に行きましょう」と約束しているので、これからもお会いできることを楽しみにしています。

乃木坂46が3月29日にリリースした32ndシングル『人は夢を二度見る』は、強さがある歌詞と聴き心地のいいメロディー、そしてキャッチャーな振り付けのバランスが絶妙な曲だと思います。

諦めてしまった夢を「もう一度見ないか」という歌詞は、聴かれる方によって様々な受け止め方があるかもしれません。今の乃木坂46でも、私たち3期生と初選抜の5期生とでは表現が違ってくるはずですが、だからこそ説得力が出ると思っています。パフォーマンスでは、Wセンターの久保（史緒里）と山下の、みんなとは違う世界にいるような動きに注目してください。

5期生と距離を縮める

ミュージックビデオは熱海の美術館で撮影しました。撮影中は、手の動きの細かいニュアンスを質問してきてくれたことがきっかけで、5期生の川﨑桜ちゃんと、真面目な話からたわいもない話までたくさんしゃべって、距離が縮まりました。

初めてキャプテンとして、3月6日の配信ミニライブの円陣で掛け声をしました。キャプテンとして背筋をピンと伸ばして、気づいたことから取り組んでいきたいと思っています。

「3期生ライブ」での1枚。アンコールでは、センターで特に2番の歌詞が好きな『思い出ファースト』をフルサイズでパフォーマンスできてうれしかったです。

#58

2023年6月号

卒業した『THE TIME,』で、現場に明るい空気を持ち込む大切さを学びました

1年半続いた朝の情報番組『THE TIME,』のレギュラー出演を、5期生の一ノ瀬美空ちゃんにバトンタッチしました。活動の幅をさらに広げるため、何度も話し合って決めた前向きな卒業です。最後の出演となった3月27日の放送では、冒頭で番組卒業を発表する予定だったのですが、安住（紳一郎）さんからの提案で7時台後半に時間を作っていただきました。終了後、安住さんや宇賀神（メグ）さん、杉山（真也）さんから声を掛けていただき、スタッフさん含めた全員で写真を撮って。楽屋で身支度を整えて帰るところで、エレベーターホールに関係者のみなさんが花道を作って見送ってくださったんです。自分で決断したことなのですが、「終わってほしくない」と思ってしまいました。

爽やかな笑顔の美空ちゃん

『THE TIME,』は、出演者、スタッフさんの1人ひとりが意識してスタジオに明るい空気を持ち込んでいるから、チーム全体が明るくなっていたんです。その雰囲気はお茶の間に伝わっていたと思います。『THE TIME,』が始まってから副キャプテン、キャプテンと乃木坂46での立場が変わっていきまし

たが、私もグループに明るい空気を持ち込もうと意識するようになりました。

安住さんからのムチャ振りは、最初こそ戸惑いましたが、すぐに「信頼してくれているんだ」といううれしさに変わりました。特に、ヨーヨーに挑戦したときのドヤ顔を気に入ってくれて、番組終盤でも振ってもらったことが印象に残っています。

美空ちゃんは『日経エンタテインメント！』さんの表紙撮影（23年2月号）でも一緒でしたが、あのときはまだあまり話したことがなく会話もぎこちなくて（笑）、お互いバトンタッチするとは思っていなかったはず。その後、一緒に活動する機会が増えて、頭の回転が速くて気遣いができると知ったので、美空ちゃんの名前を聞いて適任だなと感じました。爽やかな笑顔は朝の番組にピッタリだと思います。

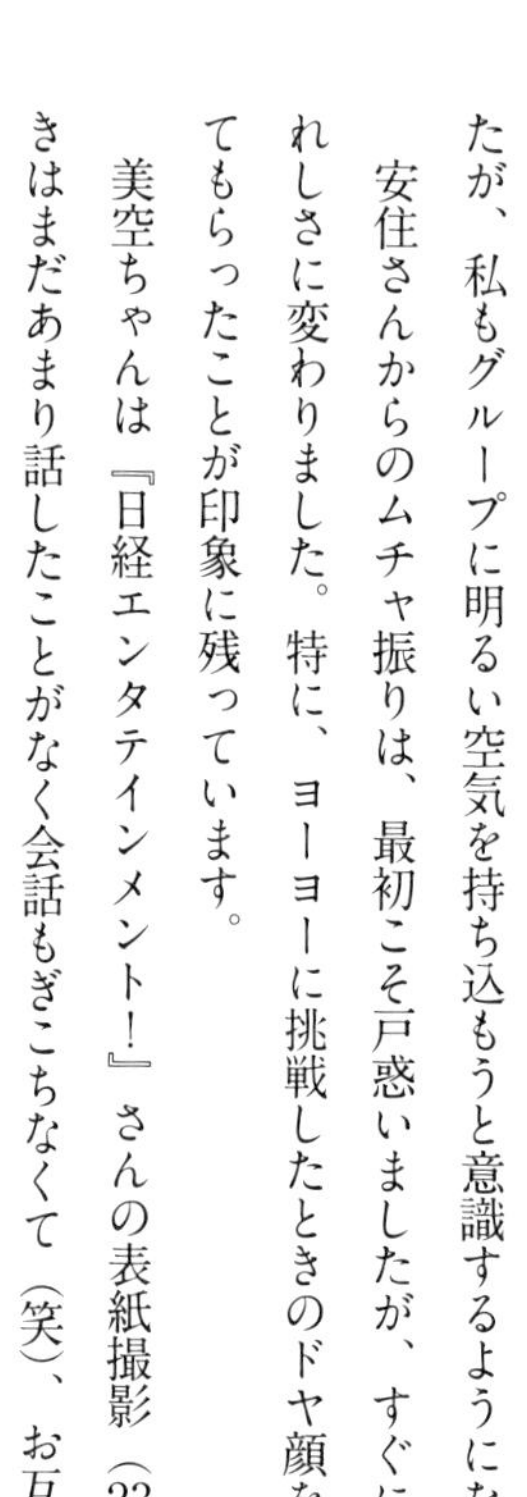

美空ちゃんはまだ不安もあると思うので、こまめにコミュニケーションを取っています。「深く考えすぎずに、いい方ばかりだから大丈夫だよ」とか、エンタメ情報コーナー担当とはいえ、「日々のニュースはチェックしておいたほうがいいよ」とも伝えたんです。

飛鳥さんとの関係は変わらず

5月17日、18日には東京ドームで齋藤飛鳥さんの「卒業コンサート」が控えています。実は、今年に入ってからも飛鳥さんとは連絡を取っているんです。「『キングダム』見に来てくださいね」と伝えたら、飛鳥さんは「行くね」と返してくださったけど、東京公演に来てくれなかったので諦めていたのですが、大阪公演中にマネジャーさんから「今日、飛鳥が来るよ」と聞き、思い切り喜びました。

でも、数日たっても飛鳥さんから感想が送られてこないんです。悔しくて自分から「どうでした？」と連絡できなくて。飛鳥さんの映画（『サイド バイ サイド 隣にいる人』）も見たけど、感想はまだ伝えていないので、リハーサルが始まったら話したいです。私から一方通行の片思いのような関係は変わらないみたいです（笑）。

3期生が1番上の世代になって、これまで以上に気を張っているけど、リハーサルで飛鳥さんに会ったら「先輩に甘える自分」が爆発してしまうかもしれません。ただ、コンサート本番ではしっかりステージに立ちたいと思います。

自分は飛鳥さんをイジることができる貴重なメンバーだと思っているので、その方向でもライブを盛り上げたい。乃木坂46にとって3回目の東京ドーム公演を成功させたいです。

『THE TIME,』では、安住さんはじめみなさんから広い視野で周囲を気遣う姿勢を教えていただきました。本当にありがとうございました。

#59

2023年
7月号

卒業コンサートで飛鳥さんのエンタテイナーとしてのあふれる魅力を再認識しました

乃木坂46は5月17日、18日に「齋藤飛鳥 卒業コンサート」を東京ドームで開催しました。飛鳥さんとは、最初こそお互いに緊張していましたが、すぐに半年前の空気感に戻れたことがうれしかったです。飛鳥さんが出演されている映画（『サイド バイ サイド 隣にいる人』）の感想を伝えると、「頑張っていたね」と舞台『キングダム』の話をしてくださったんです。具体的な演技についてではなく、その一言にまとめる飛鳥さんらしさは変わっていませんでした。

飛鳥さんが考案したセットリストは、ご自身の卒コンというだけではなく、おなじみの曲でも出演メンバーや衣装、見せ方を変える工夫が盛りだくさん。これからの乃木坂46に何かを残せるようなライブにしたい、という意志を感じました。

東京ドームの空気を支配

初日の幕が開くと、無音のなか、飛鳥さんは1人で花道を歩き、目線を送ると客席が沸いて、自分のタイミングで曲が始まる。まさにスターならではの演出で、完全に東京ドームの空気を支配しているように

見えました。

初日の終盤には、飛鳥さんがドラムを叩いて、後輩たちで『君に叱られた』をパフォーマンス。そして、2日目は、飛鳥さんのドラムソロから始まりました。ステージに立つ私たちは盛り上げたほうがいいのかな、と演出を相談すると、飛鳥さんは「立ってくれているだけでいいよ」と言うんです。

実際、飛鳥さんが叩くドラムに、観客のみなさんの視線は注がれていました。この飛鳥さんのエンタテイナーとしてのあふれる魅力のおかげで、たくさんのクリエーターさんたちが「乃木坂46と組みたい」と思ってくださったんだと再認識できました。

2日間を通して1番印象に残った曲が『人は夢を二度見る』。飛鳥さんが卒業されてからのシングル表題曲に参加されてのパフォーマンスで、曲に新たな意味が加わったと思います。

『人は夢を二度見る』の披露前に飛鳥さんは、私たちに「乃木坂をよろしくね」と声を掛けてから、曲のタイトルを振ったんです。2日間を通してタイトルを紹介したのはここくらいで、気持ちがあふれたのか涙声になっていました。そんな飛鳥さんの思いを、メンバーみんなが受け取ったはずです。

飛鳥さんの最後のスピーチは、1つひとつの言葉が強くて美しかったです。「乃木坂を守ってくれている後輩がすごく大切です」という言葉が胸に残りました。

最後、私からも話をさせていただきましたが、難しさもありました。先に与田（祐希）とさくちゃん（遠藤さくら）が個人としての思いを伝えてくれたこともあり、私はキャプテンとしてみんなの総意を言葉にしないといけなかったので。個人的に伝えたいことは山ほどあったので、正直、もどかしさはありました。だからこそ、話した後に抱きしめ合った瞬間、それまで張っていた緊張の糸がほどけてしまいました。

もっと密度の濃い活動を

私は、2月5日に東京・帝国劇場で開幕した舞台『キングダム』が、5月11日の札幌公演で千秋楽となり、間を空けずに飛鳥さんの卒業コンサートを迎えました。キャプテンとして初の大きなコンサートでしたが、舞台を引きずることなく臨めたと思います。よく「気持ちをどうやって切り替えているの」と聞かれますが、特に何か意識しているわけではありません。地方公演では、舞台が終わるとすぐに東京と往復するスケジュールに対して共演者の方たちに驚かれましたが、自分では当たり前だと思っています。むしろ、これからも乃木坂46が坂道を登り続けるために、もっと密度の濃いスケジュールで活動していきたいです（笑）。

実は卒業コンサート後は、まだ飛鳥さんに連絡を取っていないんです。きっと、たくさんのメッセージが届いているだろうから、あえて少し時間を空けてからにしたいと思います。

これからも乃木坂46、そして梅澤美波の活動を見守っていただけたらうれしいです

7月1日から始まる「真夏の全国ツアー2023」のリハーサル中です。1期生さんも2期生さんもいない全体ライブのリハーサルは初めてでしたが、感じたことは4期生と5期生の頼もしさ。特に、4期生は振り付けで違うところがあれば積極的に声を掛け合っている姿を見ます。〝今〟の私たちが作り上げたライブをお届けしたいです。

昨年から復活した明治神宮野球場での公演は、今回のツアーで初めて4日間連続（8月25～28日）となります。昨年、久しぶりに神宮のステージに立って「乃木坂46の夏はやっぱり神宮で締めたい」と感じたんです。今年はみなさんに思う存分声を出してもらって、私たちも思い切りあおりたいと思います。

『キングダム』は緊張の連続

2月から5月まで全82公演、稽古は昨年12月から始まっていた舞台『キングダム』は、まだ余韻が残っています。これまでの舞台は、公演を重ねるなかで徐々に余裕が生まれてきましたが、『キングダム』は毎回幕が上がる瞬間にプレッシャーがのしかかってきて、最後まで緊張の連続でした。

私が演じた楊端和は第1幕の後半から登場するのですが、そこが最大の見せ場でもあります。物語が一気に進む場面のキーパーソンとして、空気を変えるような演技を心掛けました。

特に意識したのは立ち姿です。顔が隠れていて、体のラインも見えないし、男性か女性かも明かされていないので、難しさはありましたが、他を圧倒するようなオーラが伝わる所作を研究しました。

刺激的な毎日を過ごすなかで、自分の演技はレベルアップできたと思います。初日と千秋楽では大きく違ったはず。初めて殺陣を経験できたことも大きくて。生駒（里奈）さんが出演された舞台『PHANTOM WORDS』（19年3月）が衝撃的に面白くて、それからずっと殺陣をやりたかったんです。

そして、5年以上続けさせていただいたこの連載ですが、今号で最終回となります。この連載が始まったのが、舞台『星の王女さま』（18年4月）のタイミングで、『乃木坂46版 ミュージカル「美少女戦士セーラームーン」』（18年6月、9月）、『七つの大罪 The STAGE』（18年8月）、など舞台が続いて、楽しさに目覚めました。

その後、『映像研には手を出すな！』（ドラマ・20年4〜5月、映画・20年9月）を経て、『キングダム』は念願の舞台だったんです。開幕を帝国劇場で迎える重圧に押しつぶされなかったのは、乃木坂46のライブで大舞台を経験してきたからで、すべてはつながっていると感じています。

今年2月にキャプテンに就任させていただいてから、冠番組の『乃木坂工事中』では司会のバナナマンさんの近くに座ったり、メンバーを代表してスタッフさんと話す機会も増えたりと自分の役割は着実に変わってきています。

最近、前キャプテンの秋元真夏さんとご飯に行って、たくさんのアドバイスをいただきました。その教えを、どうこれからの乃木坂46に合うようにアレンジしていくか考えていきたいです。

メリハリを大切にしたい

キャプテンとして、ハートは強くないといけないと思っていますが、その感情が表に出すぎると、〝圧〟を与えてしまうので、加減は難しいですね。普段は楽しみながら活動できる環境作りを心掛けて、締めるときはしっかりと、というメリハリを大切にしたいです。

連載は最終回となりますが、これからも乃木坂46、そして梅澤美波の活動を見守っていただけたらうれしいです。私もみなさんの目に留まるように活躍の場を広げていきたいと思います。ありがとうございました。

『キングダム』の山の民とのスナップです。約半年間を『キングダム』に捧げてきましたが、演技の活動を途切れさせたくない気持ちは強くて、もうまたお芝居がしたくてうずうずしています。

[監 修]

秋元 康

[構 成]

大貫真之介
伊藤哲郎

[撮 影]

東 京祐
(カバー、3 ～ 37)

佐賀章広
(97、101、105、109、113、117、121、125、129、133、137、141、145、149、153、157、160、163、165、169、171、174、177、180、183、187、189、193、195、198、201、205、207、211、214、217、219、223、225、229、231、235、237、241、243、246、249、253、255、259、261、265、267、270、273、277、279、283、286、289、291)

[スタイリスト]

安藤真由美
菅野 悠

[衣装協力]

CASA FLINE

[ヘアメイク]

江原理乃

[装 丁]

菅原大輔
(mother)

美しくありたい

2024年1月12日　第1版第1刷発行
2024年1月29日　第1版第2刷発行

著者　梅澤美波

発行者　佐藤央明

発行　株式会社日経BP

発売　株式会社日経BPマーケティング
〒105-8308　東京都港区虎ノ門4-3-12

印刷・製本　図書印刷株式会社

ISBN 978-4-296-20412-0

本書に関するお問い合わせ、ご連絡は下記にて承ります。
https://nkbp.jp/booksQA